A HORA
EXTRAORDINÁRIA

CARO LEITOR,

Queremos saber sua opinião sobre nossos livros.
Após a leitura, curta-nos no facebook/editoragentebr,
siga-nos no Twitter @EditoraGente e visite-nos no site
www.editoragente.com.br.
Cadastre-se e contribua com sugestões, críticas ou
elogios. Boa leitura!

Lilian Bertin

PREFÁCIO DE ROBERTO SHINYASHIKI

A HORA EXTRAORDINÁRIA

Como realizar seu primeiro sonho em 30 dias, dedicando-se 1 hora por dia

Diretora
Rosely Boschini

Gerente Editorial
Carolina Rocha

Assistente Editorial
Natália Mori Marques

Controle de Produção
Fábio Esteves

Preparação
Leonardo do Carmo

Projeto Gráfico, Diagramação, ilustração e Capa
Sergio Rossi

Revisão
Vero Verbo Serviços Editoriais

Impressão
Edições Loyola

Copyright © 2018 by Lilian Bertin
Todos os direitos desta edição
são reservados à Editora Gente.
Rua Wisard, 305, sala 53,
São Paulo, SP – CEP 05434-080
Telefone: (11) 3670-2500
Site: www.editoragente.com.br
E-mail: gente@editoragente.com.br

Dados Internacionais de Catalogação na Publicação (CIP)
Angélica Ilacqua CRB-8/7057

Bertin, Lilian
    A hora extraordinária : como realizar seu primeiro sonho em 30
dias dedicando-se 1 hora por dia / Lilian Bertin. -- São Paulo : Editora
Gente, 2018.
    192 p.

ISBN 978-85-452-0233-2

1. Sucesso 2. Sucesso nos negócios 3. Autorrealização I. Título
18-0201   CDD 650.1

Índice para catálogo sistemático:
1. Sucesso nos negócios

Dedico este livro a todas as pessoas que desejam
fazer a diferença positivamente neste mundo,
em especial àqueles que me dão suporte
diariamente para que eu realize meus sonhos:
minha família.

AGRADECIMENTOS

Sempre exercitei a gratidão muito intensamente e talvez essa energia tão forte dentro de mim acabe atraindo pessoas sensacionais no decorrer da minha vida.

Tenho certeza de que somos o resultado de nossas escolhas e que todos que passam por nós nessa existência nos ensinam alguma coisa – alguns nos ensinam como devemos ser e outros como não ser. Algumas pessoas são para nós verdadeiros aprendizados e outras pura inspiração.

Quero agradecer de forma genérica a todos que de alguma forma colaboraram para que este livro acontecesse, seja com respostas às inúmeras enquetes que fiz ou ajudando a chegar até esse resultado final, entre eles: Marília P. Xavier, Ben Zruel, Renato Higa, Rodrigo Bertin e Denis Bai. À equipe da Editora, em especial à Carolina Rocha, que foi meu "anjo" e se apaixonou pelo tema; à Maria Luiza Poleti pela sensibilidade; à Danyelle Sakugawa por cuidar de cada detalhe da divulgação.

À minha assessoria, Nathana, Kelly e Felipe, sou grata a cada um.

Também quero agradecer aos grandes pilares que sustentaram a minha vida até aqui: *in memorian* ao meu avô Tonico, pelo seu amor incondicional, e à minha avó Lidia, por ter me ensinado a ser uma mulher forte e determinada. À minha mãe Eunice, pela alegria de viver; ao meu pai João, pelo caráter irrepreensível; e à minha tia Lucila, pela espiritualidade.

Tenho um amor especial pelos meus irmãos Claudio, Roberto Luiz e William. Este, em especial, por ter me dado, junto à Fabíola, a princesa Marilia Luiza como afilhada. A todas as minhas cunhadas, cunhados, sobrinhos, sobrinhas, primos e primas – somos uma família numerosa que se curte muito, e para mim o pilar familiar sempre foi muito importante.

Um carinho e gratidão especial ao grande amor da minha vida, Paulo, por dar ritmo e alegria à minha vida, por me permitir ser eu mesma e por outro lado ser meu colo e aquietar meu coração. Sou feliz pela vida que construímos, com admiração mútua nesses mais de 30 anos juntos e principalmente pelos nossos filhos – duas pessoas maravilhosas que me emocionam a cada dia por serem quem são. Rodrigo, o mais velho, é um príncipe do bem e da alegria, e Vivian, uma princesa amada e vibrante em tudo o que faz, e que recentemente me presenteou, junto com seu marido Bruno, com a luz de nossas vidas – o meu netinho Eduardo. Desde que chegou, Dudu reascendeu a chama do amor incondicional em nossa família.

Agradeço aos meus amigos e amigas, que são muitos; ao meu afilhado Matheus; e aos meus parceiros de negócios e colaboradores que também se tornaram amigos – posso dizer que sou mais feliz por tê-los na minha vida.

Agradeço ainda àqueles que me incentivaram a escrever este livro e ao Roberto Shinyashiki por todas as vezes que me inspirou a ser uma pessoa melhor.

Por fim, para encerrar com o mais importante, a Deus pela oportunidade de me permitir participar desse filme chamado VIDA.

SUMÁRIO

11 Prefácio

17 Introdução

21 Capítulo 1
Você pode
querer mais

39 Capítulo 2
Por que não realizamos
os nossos sonhos?

59 Capítulo 3
Mira e vai!

75 Capítulo 4
Por onde começar?

91 Capítulo 5
Sua vida,
suas regras

105 Capítulo 6
A idealização
dos sonhos

115 Capítulo 7
Aproprie-se dos
seus sonhos

123 Capítulo 8
Planeje os
próximos passos

133 Capítulo 9
Coloque o plano
em prática

143 Capítulo 10
A vida é sempre
um *test-drive*

151 Capítulo 11
O sonho nunca
tem fim

163 Meu primeiro sonho em até
30 dias: um plano de ação

PREFÁCIO

As pessoas que mais admiramos são aquelas que realizam os seus sonhos.

Eu quero lhe fazer uma pergunta: você tem realizado os *seus* sonhos? Porque a nossa alma cobra muito caro quando nós temos talento e competência para realizar os nossos sonhos e não os realizamos.

Falar em sonhos é algo fundamental nos dias de hoje. Quando as pessoas me perguntam qual o maior problema do Brasil, sempre respondo: as pessoas pararam de sonhar e acreditar na sua capacidade de realizar os próprios sonhos.

Quando um jovem de uma favela abandona seu sonho, ele abandona o seu futuro. Quando um milionário abandona o seu sonho de ter uma família amorosa, abandona a própria felicidade. Quando um profissional abandona o seu sonho de ter uma carreira brilhante numa empresa, está abandonando a própria autoconfiança.

Muito da infelicidade humana está no abandono dos sonhos. Quando você vê uma pessoa desanimada, depressiva, desorientada, ela está pagando o preço de não realizar os seus sonhos. Por isso que o nosso grande desafio, além de voltarmos a sonhar e acreditar na nossa competência de realizar, é fazer as pessoas das nossas empresas e da nossa família acreditarem na sua capacidade de concretizar os próprios sonhos.

Por essa razão, o livro *A hora extraordinária* de Lilian Bertin é uma obra fundamental. Aqui, você vai aprender a sair do mundo das ideias, do mundo da insegurança e vai descobrir que não pode deixar que as desculpas e as explicações derrotistas invadam a sua mente e os seus planos, e o impeçam de avançar.

Você vai aprender a nunca mais se esconder na falta de tempo e a se organizar para fazer o que for preciso, não só para realizar o seu projeto profissional, mas para ter tempo de ter uma vida familiar de plenitude.

A Lilian vai lhe guiar pela mão. E se você seguir o plano de ação para se tornar um realizador extraordinário, tenho certeza que vai experimentar grandes realizações nos próximos 30 dias. Assuma esse compromisso consigo mesmo e prepare-se para se dedicar, se inspirar e, principalmente, implementar doses maciças de ação.

Lilian Bertin é uma empresária que se transformou em palestrante, coach, mentora, mas mais importante de que a sua experiência e capacidade de superação é a grandeza de seu coração e o desejo de ajudar as pessoas a realizarem os próprios sonhos.

Para exemplificar o que estou lhe dizendo, há uma história que me inspira muito. Fala de um rio lindo, de águas cristalinas, que atravessava montanhas. Quando chegou à base de uma delas, descobriu que, do outro lado, havia um grande brejo. Então perguntou a Deus:

"Como pôde fazer isso comigo, Senhor? Eu, com águas transparentes e imparáveis, agora vou virar brejo?"

"Depende de como você vai entrar nessa aventura. Se ficar com medo, tenso e preocupado, realmente chegará lá devagar e se tornará um brejo. Contudo, se mergulhar e for fundo nessa experiência, suas águas vão se espalhar pela superfície do mangue e evaporar. Depois se transformarão em nuvens e serão levadas pelo vento em direção ao mar. E você se transformará em um grande mar", respondeu o Senhor.

O que esta história quer lhe mostrar é que o poder de viver a vida e os sonhos que mais deseja está em suas mãos. Se você não agir hoje, continuar preso às desculpas, aos medos ou adiando seus projetos, no fim da noite terá mais um dia para se arrepender, porque hoje é o ontem de amanhã. Se você não agir agora e ficar olhando para o passado, terá mais um motivo para se culpar amanhã. Com certeza as causas dos seus problemas estão no passado, mas a saída para eles indiscutivelmente está no presente, em determinar o futuro que você quer e começar a agir agora. Portanto, levante a cabeça, olhe para o futuro e tome a iniciativa de agir no presente para que sua vida seja do jeito que você merece.

Espero que você se transforme em mar, no mar mais lindo que jamais existiu. Isso está em suas mãos, depende da maneira como você mergulha na vida e luta por seus sonhos.

A leitura deste livro é imprescindível quer seja para mudar a sua carreira, conhecer os destinos que sempre desejou, transformar seus relacionamentos ou colocar de pé aquele negócio com o qual você sempre sonhou.

Sempre torcerei para que você realize todos os seus sonhos, porque você merece realizar todos os sonhos que tiver.

Um grande abraço,

Roberto Shinyashiki

INTRODUÇÃO

VOCÊ MERECE REALIZAR OS SEUS SONHOS: ESTE É O NOVO CAPÍTULO DA SUA VIDA, AQUELE QUE VAI TRANSFORMAR TUDO!

Quantas vezes, no seu coração, você desejou que as coisas fossem diferentes? Que você pudesse virar o jogo, desligar o resto do mundo e simplesmente mergulhar de cabeça nos seus sonhos e nos seus projetos? Aposto que isso já passou pela sua mente. No entanto, às vezes, pelos motivos mais diversos, a gente começa a ter medo de sonhar, medo de arriscar e perder tudo em busca de uma ideia maluca ou, então, por estarmos tão desconectados de nós mesmos, nem sequer sabemos qual é nosso verdadeiro sonho.

Temos mania de criar um monte de desculpas para não *realizar* as mudanças em nossa vida. Como se não fosse nosso direito pensar sobre isso, querer algo novo. Talvez você já tenha caído na armadilha de ouvir uma vozinha dentro da sua cabeça dizendo: "Este assunto não é para mim; quem dera eu tivesse tempo para isso; quem dera eu pudesse me dar ao luxo de parar a minha vida para realizar um sonho; ah, sonho é para quem pode, sonho é para quem tem dinheiro e tempo; eu não tenho tempo para sonhar". Essas e mais uma série de frases prontas nos levam a desistir antes mesmo de começar.

E a segunda coisa, não menos grave que a primeira, é o famoso comodismo: "Afinal, para que sonhar e me permitir sonhar, se a vida que eu tenho hoje está boa? Poderia estar melhor – mas eu não tenho do que reclamar..." E, quer saber? Às vezes, quanto mais estabilidade e segurança você tem na vida, mais infeliz você se sente; chegamos até a pensar que "querer mais" seria uma espécie de ingratidão, pois já temos tanto diante de outras pessoas. Melhor ficar assim, vai que estraga, né?

Graças a essas divagações que muitas pessoas bem-sucedidas – aparentemente bem-sucedidas – começam a entrar num processo de autodestruição. Quem olha de fora não vê motivos para a pessoa ser infeliz, viver triste, mas, a realidade é que quem está vivendo uma situação dessas não consegue transpor o abismo que encontra dentro de si, um vácuo que nada material consegue preencher.

Em contrapartida, há também as pessoas que desejam mudar de vida: conquistar um emprego melhor, uma casa mais bonita, o carro importado, a viagem dos sonhos, as roupas e as joias de marcas consagradas. Enfim, desejam mudar o padrão financeiro em que se encontram, mas não conseguem pensar numa alternativa para alcançá-lo e, muitas vezes, acabam acreditando que a única solução para realizar tantos sonhos caros é ganhar na Mega-Sena. Mas, será que é isso mesmo?

Nas duas situações, as pessoas sentem como se o seu propósito de vida não estivesse preenchido, passam a acreditar que a vida delas é superficial, como se nada do que tenham alcançado fizesse sentido, não fosse suficiente para que pudessem se considerar plenamente felizes; falta-lhes um significado, algo a ser encontrado. Mas o que poderia ser?

Sinto lhe dizer, mas só existe um responsável pelos nossos resultados: nós mesmos. Somos nós que nos afastamos das possibilidades de sonhar, de construir novos caminhos, de ultrapassar esse abismo que tanto nos atormenta.

E por que isso acontece? Por que não conseguimos assumir o risco de fazer diferente daquilo que sempre foi o "plano"?

Este livro é um convite para que você se torne o dono dos seus projetos, o diretor deste filme chamado vida, para que saia do lugar-comum, desligue-se do resto do mundo e possa ouvir a si mesmo, e colocar para fora o que já está em seu coração. É essa possibilidade que quero apresentar a você com algumas das histórias que preenchem a minha vida, mas também com as ferramentas do método que eu construí e hoje é a base para que eu possa realizar todos os meus projetos. Eu também já estive na zona da indecisão, eu também já me autossabotei e me impedi de realizar sonhos, já me considerei devedora por ter uma família linda e me senti impossibilitada de querer mais do que eu já tinha. E é desse lugar de indecisão, desse ponto que eu quero convidá-lo a se permitir criar uma nova realidade, muito melhor e mais intensa.

Chega de dizer não para si mesmo! **Realizar sonhos, você pode!**

CAPÍTULO 1

VOCÊ PODE QUERER MAIS

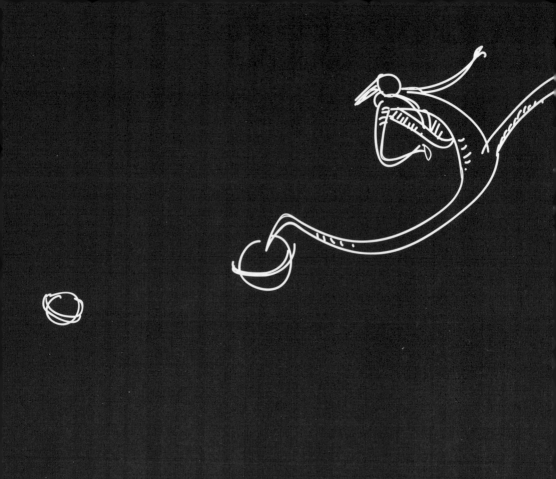

Todos nós temos vários papéis ao longo da vida. Somos filhos, pais, irmãos, profissionais, esposa, marido, namorada, namorado, amigos... Esses papéis são cheios de conflito, afinal, envolvem outro indivíduo e são marcados pela maneira como nos sentimos em cada relacionamento. Porque todos eles vêm carregados de expectativas: "o que as pessoas esperam de mim? Eu ainda 'posso' me dedicar tanto à minha carreira? Posso realizar coisas que esqueci ou abandonei lá atrás? E a minha família nessa história?". Essas são algumas das perguntas/fantasmas que eu, por exemplo, tive de aprender a combater.

Conheço muitas pessoas que adorariam mudar de emprego, empreender, seguir sua profissão por uma nova vertente, sair do país ou mesmo sair de um relacionamento falido. Então, por que não o fazem? Essa paralisação gera uma enorme insatisfação, e nada é capaz de supri-la. E a sua vontade, qual é? Qual é a parte da sua vida que precisa ser reinventada? O que o faria mais feliz? O objetivo deste livro e ajudá-lo a pensar em questões como essas. Afinal, só estamos aqui, passando por esta vida, com um único bilhete, sem direito a reprise. Que roteiro você prefere dirigir?

Quando falo sobre contar a minha história, não me refiro apenas à parte que deu certo, à Lilian empresária bem-sucedida. Aos olhos de quem não me conhece de verdade, sou uma mulher bem casada, mãe de dois filhos lindos, que tem uma vida social intensa, mora numa boa casa e tem uma empresa que superou, apesar das dificuldades, as crises nacionais. Logo, sou uma pessoa que não deveria ter do que reclamar, certo?

24

Afinal, seria uma louca se ousasse desejar outra vida. Seria?

Sim. E não.

Apesar de essa ser, para muitos, a *checklist* da vida adulta ideal (e tudo bem se esse for o seu plano, desde que ele seja verdadeiramente sincero), para mim, é apenas uma parte de quem eu sou. E, se me permitisse contar somente o final feliz – aquele que todos veem –, não estaria sendo sincera com você e, muito menos, comigo mesma.

Afinal, seria uma louca se ousasse desejar outra vida. Seria?

Foi esse *seria*, essa pergunta que rondava a minha cabeça, que me fez questionar esse estado de sim, ter uma vida maravilhosa, ser bem-sucedida... e o que mais? O que mais eu era além de ser tudo isso? Além de carregar todos esses rótulos? Quem era a Lilian de verdade? A Lilian que não ocupava nenhum papel diante dos outros? Quem eu era quando não era mãe, filha, irmã, cunhada, empresária ou esposa?

Havia em mim tudo o que se pode chamar de conforto, ou melhor, *comodismo*. Faltava algo. Alguma coisa que me realizasse, que de fato me completasse. Algo que tivesse um propósito maior na minha vida e dependesse única e exclusivamente de mim.

Será que isso é querer demais?

Obviamente que isso passou pela minha cabeça, já que eu tinha tudo o que, supostamente, uma mulher deseja. O que mais eu poderia querer? O que me faltava?

Tive, sim, medo de ousar. Medo de tentar. Contudo, segui em frente, mesmo com medo. Dei ouvidos ao meu coração, à minha consciência e passei a dar uma chance ao meu sonho, à minha vontade de tentar algo além do que eu já era: mãe, empresária, esposa. E fui. Aos poucos, fui construindo o meu sonho. Idealizando o que desejava, transformando o que antes rejeitava em plano. Colocando no papel.

Sim, precisei lidar com um enorme preconceito; as pessoas esperam certos padrões estabelecidos do que é certo ou errado e quem sai fora desses padrões sociais geralmente é apontado como "diferente". Desculpe-me, caro leitor, mas prefiro ser diferente a ser medíocre.

Para você ter uma ideia, na minha adolescência, prestei vestibular para Engenharia Civil, totalmente contra a vontade do meu pai, que dizia que aquela não era uma profissão para mulher. Isso foi antes da Constituição de 1988 – reforço esse fato porque somente depois de sua aprovação é que homens e mulheres foram considerados "iguais perante a lei"; absurdo não acha? Mas eu vivi isso. Na época, já como estudante de Engenharia, eu estava atuando como estagiária e cheguei a ser impedida de entrar num canteiro de obras numa indústria, porque eu era mulher e atrapalharia o andamento do serviço. Ou seja, já me acostumei a lidar com o preconceito ao assumir aquilo que eu queria fazer desde muito cedo, sou a única mulher entre quatro filhos e me posicionar foi sempre uma questão de sobrevivência. Por isso, levanto a bandeira do *aja, apesar do medo*.

E, mesmo adulta, tive medo de sair do lugar em que me encontrava. Foi, então, com as possibilidades todas estudadas e acertadas, que encarei o meu primeiro desafio: já tinha minhas empresas e voltei a estudar, depois de doze anos de casada, mãe de pré-adolescentes. Havia abandonado a faculdade de Engenharia no terceiro ano, com algumas matérias pendentes, quando me dei conta de que estava cursando algo de que eu não gostava apenas para provar ao meu pai que chegaria até o final. Nos próximos capítulos falaremos mais sobre isso: coisas que fazemos e realizamos por orgulho e não por vocação. Decidi, então, voltar a estudar e escolhi a faculdade de Direito. Foi o primeiro passo de uma nova jornada que estava empreendendo na minha vida – e que teria muitas curvas ao longo do caminho.

26 Por que temos vergonha de assumir nossos sonhos?

Muito mais do que o medo de falhar, de errar, de descobrir que talvez *aquilo* que tanto desejávamos não era tudo *aquilo* mesmo, temos medo de voltar atrás, de assumir o erro na escolha, de contar para nós mesmos que falhamos. Mas será que isso vale a pena? Deixar de tentar porque, simplesmente, não queremos nos desapontar?

Virar mais uma vez a página. Desistir de um sonho que foi tão planejado pode ser o primeiro fator que nos impede de realizar muitas outras coisas e muitos outros sonhos. Isso não quer dizer que eu esteja aqui convidando-o a não concluir o que começa ou mudar de planos a cada instante, a não ter consistência. Meu convite pretende trazer uma mensagem de que nós somos o resultado das nossas experiências, boas ou ruins, e elas servirão de base para o nosso sucesso.

Portanto, permita-se trilhar novos caminhos, fazer novas escolhas. E se não der certo? Você terá vivido um imenso laboratório que universidade nenhuma é capaz de lhe proporcionar. As pessoas mais incríveis que já conheci são aquelas de múltiplas facetas, sabem um pouco de tudo, experimentaram muitas coisas e se permitiram tentar. Certa vez li uma frase que dizia: "Ser especialista é saber cada vez mais sobre cada vez menos"; ouso dizer que viver cada vez mais em situações diferentes com foco em seu objetivo principal o fará um grande realizador de sonhos. A regra mais importante é fazer tudo o que puder sem perder de vista seu objetivo principal: realizar seu sonho.

Quero apenas convidá-lo a pensar nos seus sonhos: em que ponto eles estão na sua lista? São mesmo sonhos ou são desejos? Que tal começar a listá-los?

27

E aí vem a primeira lição: não pense que as coisas mudam rapidamente; é preciso ter paciência para chegar aonde se deseja.

Cada passo na direção do seu sonho vai valer a pena. Quando resolvi fazer Direito aos 34 anos, vivi cinco anos que passariam da mesma forma caso eu não tivesse decidido cursar essa faculdade, e é isso que quero lhe mostrar: seja qual for o seu objetivo, de longo ou curto prazo, o tempo correrá igualmente, você fazendo ou não, atirando-se ou ficando parado onde está. Lembro-me de que durante esse processo de estudo passei muitas madrugadas, sábados e domingos fazendo tarefas (uma típica graduanda, como você pode perceber), mas consegui concluir a faculdade com êxito e alcançar excelente aprendizado. Com a realização desse primeiro sonho, eu me senti mais fortalecida para encarar um novo desafio.

Esse é o mecanismo: não importa se você vai arrumar a gaveta do escritório ou o quarto da bagunça, quando você começa a organizar e a realizar algo na sua vida, ocorre o efeito cascata, sua energia jorra para fazê-lo atingir outros pontos em que muitas vezes ela era necessária. Faça o teste.

A *mágica* começa quando vamos testando nossas habilidades para outras coisas, nós nos fortalecemos; é como descobrir uma nova fonte de energia. Uma realização pode influenciar muito todos os aspectos da nossa vida.

Pesquisas chamam esse fenômeno da mente de **plasticidade neural**, que, em poucas palavras, nada mais é do que a capacidade que os neurônios têm de formar novas conexões a cada momento[1]. É o que acontece, por exemplo, com

---

1 Drauzio Varella. Entrevista – Plasticidade neuronal. Disponível em: <https://drauziovarella.com.br/entrevistas-2/plasticidade-neuronal>. Acesso em: 6 fev. 2018.

crianças que sofrem graves acidentes que as deixam com sequelas motoras, auditivas, visuais ou mesmo na fala, mas quando se tornam adultas sequer apresentam sinais dessas sequelas. Poderia ser mágica? Sim, mas é o nosso maravilhoso encéfalo reagindo aos estímulos.

E esse processo ocorre quando nos propomos a sair do comodismo, a nos questionar, a ir em busca de um sonho, isto é, "forçamos" os nossos neurônios a estabelecer novas conexões, com as quais eles rapidamente se adaptam e passam a querer mais, sempre algo diferente, que os movimente. Resumindo, ao sair da inércia da não realização, nós nos tornamos ávidos por transformar realidades e concretizar sonhos. É tudo de bom!

Minha proposta neste livro é convidá-lo a ser um *realizador*, pois, acredite, tudo é treino. Quando ingressamos na academia, começamos a treinar com pesos leves e, depois, vamos aumentando até conquistar músculos. Realizar sonhos tem a mesma lógica: começamos com aqueles mais próximos e, então, vamos expandindo nossos horizontes. No entanto, cuidado, sonhos precisam de algo mais – se não tiver esforço, não é sonho, é tarefa.

> Ao sair da inércia da não realização, nós nos tornamos ávidos por transformar realidades e concretizar sonhos.

Ao concluir o curso de Direito, veio o exame da Ordem e o desejo de realizar algo que dependesse somente de mim, o que fez com que eu me mudasse para São Paulo (eu sou de Sorocaba, no interior paulista) e me desligasse formalmente da sociedade com meu marido nas empresas, para ingressar na caminhada do Concurso Público. Passava cinco dias da semana longe da minha família, da minha casa, para realizar o sonho de ser juíza.

Estava aí, aos 40 anos, começando uma nova vida. Tornando-me uma nova Lilian, apesar de tudo aquilo que me questionava e me fazia ficar onde eu estava. Dei um salto e deixei de lado tudo o que pensavam e diziam de mim. Pressionei a "tecla F" para as satisfações sociais, e, nesse momento, o apoio incondicional do meu marido e a compreensão dos meus filhos era meu suporte.

Sonhos precisam de algo mais – se não tiver esforço, não é sonho, é tarefa.

Não pense que consegui o apoio da minha família de maneira natural; foi um longo trabalho de conscientização, e é por isso que precisamos estar muito seguros das nossas decisões para não sucumbir às pessoas que nos amam e nos querem por perto. Sei que a melhor forma de amar é deixar ir, por isso sou grata à minha família, que respeitou minha decisão, é muito bom saber que temos para onde e para quem voltar.

Uma parte das pessoas que me conheciam achava que eu era louca; a outra parte tinha certeza, "Ela é louca". Quem, em sã consciência, aos 40 anos, deixaria o conforto de sua casa num condomínio fechado para morar durante a semana em São Paulo num quartinho com banheiro compartilhado, no apartamento de uma senhora de 62 anos, na Alameda Santos? Cris, como gostava de ser chamada, foi um grande presente em minha vida. Ela, como eu, resolveu fazer a segunda universidade e, aos 62 anos, cursava Direito no Mackenzie. Conversávamos muito sobre a vida e sobre assuntos da graduação. Eu estudava de oito a dez horas por dia e, às vezes, sentia saudades dos mimos da minha cozinheira lá de casa, pois tinha de escolher lugares com preços reduzidos próximos à avenida Paulista, e isso era um grande desafio.

Todas as semanas deixava meu carro na garagem de casa e pegava um ônibus com o meu filho mais velho, que também estava estudando e morando em São Paulo – porém, em uma república com amigos da idade dele.

Essa foi uma das épocas em que eu e meu marido mais namoramos; como a saudade era muita, os fins de semana eram só alegria e novidades para contar.

Estar em São Paulo me abriu a mente para as novidades, comecei a ficar antenada em tudo o que acontecia, nas tendências, enfim, aquele pedaço da cidade é mágico, um grande laboratório. Sem contar que viajei quase o Brasil todo prestando concursos, e em algumas dessas viagens eu incluía minha família – era uma forma de fazer com que eles participassem de tudo o que se passavam em minha vida.

Se tem algo de que me orgulho é de sempre incluir minha família nos meus projetos, demonstrar quanto esses projetos me fazem feliz e querer fazê-la sentir o mesmo. Vejo pessoas que blasfemam o tempo todo perante os filhos, e demonstram "quanto sofrem" pelas suas escolhas... o que elas estão ensinando aos filhos? Que sonhar é péssimo? Que lutar pelos seus objetivos é desgastante? Qual mensagem você está deixando para as pessoas próximas a você?

Talvez tenha dado um *bug,* um nó na sua mente agora. Afinal, hoje eu não sou juíza. Não, muitas águas rolaram – e a grande sacada é que a vida é assim mesmo. Naquela época, ao me formar em Direito em São Paulo, eu ainda não conhecia os rumos que minha vida tomaria. No entanto, essa experiência era a prova de que:

- tudo bem mudar de ideia e pegar um novo caminho quando aquele que você vinha seguindo não lhe serve mais;

- se algo é importante e você tem convicção do que quer, as pessoas que o amam vão aprender a lidar com isso – mesmo que não entendam exatamente por que você resolveu começar uma revolução. Há um período de adaptação, é preciso fazer novos combinados e pronto.

DESCONSTRUINDO
A ZONA DE CONFORTO

Se há uma expressão que me incomoda é a famosa *zona de conforto*. Quem foi que inventou essa história? O que é essa zona de conforto e, mais do que isso, o que é romper a zona de conforto?

Tenho sérias dificuldades em entendê-la. Como é que isso funciona?

Para mim, na verdade, é muito difícil aceitar que exista uma situação que seja confortável sem ser confundida com comodismo. Muitas vezes, mascaramos nosso comodismo com o conforto que determinada situação nos proporciona em todos os aspectos da vida: profissional, pessoal, emocional, psicológico. É muito mais fácil permanecer como estamos do que encarar o novo, o porvir.

Mudar dá trabalho machuca, mas o sabor... Ah, o sabor é incomparável!

E é aí que a *zona de conforto* tanto me intriga. Aceitar essa expressão, *conforto*, como algo positivo é o mesmo que aceitar a autossabotagem, as impossibilidades de se movimentar diante das oportunidades. A famosa zona de conforto nos impede até de abrir os olhos para as alternativas, para as mudanças, sejam elas boas, sejam ruins. Estacionamos em um ponto tido como confortável e permanecemos nele até que alguma coisa aconteça e nos faça sair de lá sem que essa atitude tenha sido pensada por nós.

E isso não é bom, aliás, é *péssimo*.

Não é bom quando deixamos de sair de um emprego que não nos faz feliz porque o salário é bacana, não terminamos um namoro em que já não existe amor porque o parceiro é uma boa pessoa ou está com problemas, não fazemos uma viagem pois não é certo tirar férias naquele momento... Enfim, é péssimo porque vamos aceitando o comodismo, mascarando-o de confortável, com a ilusão de que *pior do que está não pode ficar, então melhor não trocar o certo pelo duvidoso.*

O medo que tanto nos atormenta e nos aprisiona é o melhor amigo da *zona de conforto.*

É o medo de errar, de ser julgado, de não agir corretamente com o outro, de decepcionar quem amamos, de perder dinheiro [...] Enfim, o medo que tanto nos atormenta e nos aprisiona é o melhor amigo da *zona de conforto*. É por ele também que deixamos de mudar, que aceitamos que o lugar onde estamos é o mais *comodamente* confortável, o lugar das pessoas medianas, que seguem os padrões sociais. Desculpe-me, mas não nascemos para ter uma vida rasa.

Já parou para pensar nisso? O que, afinal, está aprisionando você? O que o impede de sair e fazer o que tanto tem vontade?

Pense nisso. Anote tudo o que pode ser um fator impeditivo de realização de sonhos. Mais à frente, vamos aprofundar esse assunto.

Cantinho para abrir o coração sem medo

É sério, pode abrir seu coração aqui. Imagine que este livro é seu confidente, aquele melhor amigo que sabe exatamente o que precisa ouvir, que dá aquele empurrãozinho de que você tanto precisa. Vai ficar só entre nós (por enquanto!). Conforme avançarmos no livro, o que começa aqui como confidência e revelação vai se tornar um plano de ação.

Promessa de dedinho, ou melhor, promessa de livro!

Então, vamos lá: coloque aqui os motivos que têm impedido você de pensar sobre os seus sonhos, o que gostaria de realizar se pudesse colocar no mudo todas as outras vozes. Acredite! Quando você escreve, traz para o consciente suas ideias e suas vontades e começa a fortalecê-las. Escrever é dar vida a uma ideia.

MAS, E SE?

É quando essa perguntinha começa a aparecer em nossa mente que a nossa postura tende a mudar. A verdade, no entanto, é que, na maioria das vezes, nós nos posicionamos diante do *e se* de modo negativo. Um palmo à nossa frente já é o bastante para imaginarmos o que pode não dar certo.

E é esse o erro. É isso que nos faz ficar, que nos faz aceitar o comodismo que, embora não assumamos, tanto nos incomoda. Que tal, então, passarmos a olhar positivamente para esse *e se*?

Não é fácil, eu bem sei, mas, se eu posso, com certeza, você também pode!

O fato de encararmos novas possibilidades de maneira positiva, no entanto, não quer dizer que o medo vá desaparecer. Vislumbramos o que está por vir, visualizando somente as coisas boas; contudo, algumas vezes *chegamos a ter medo do sucesso*. Você já pensou nisso? Tem medo de vencer? E se o seu sonho der certo?

Por sorte, esse medo é um pouco mais ameno porque, graças ao julgamento alheio, ter medo de vencer é feio. Muito feio. Ocorre que quando projetamos algo maravilhoso para nossa vida, a primeira coisa que pensamos é: "E se der errado?".

Eu quero fazer um exercício inverso. Imagine todas as possibilidades de dar certo, imagine que já deu certo. Vamos falar sobre o *como* em outro momento, expondo um caminho para seu planejamento, mas essa certeza tem de estar clara em sua mente – e é assim que tudo começará a mudar, tudo começará a se mexer dentro de você, para que realize aquilo que tanto quer.

A partir de agora, pense no sucesso. Em seus planos dando certo. Coloque-se na posição do vencedor. Guarde essas imagens para falarmos sobre elas mais adiante.

35

QUAIS SÃO SEUS SONHOS?

Meu sonho era encontrar a Lilian real, trabalhar e realizar algo que fosse uma construção minha. E o seu, qual é? Você tem um sonho? Pergunta difícil?

Às vezes é difícil pensar na resposta para essas perguntas porque confundimos *desejo* com *sonho*. Embora andem juntos e, necessariamente, um precisa do outro para acontecer, desejo e sonho são completamente diferentes. Você pode desejar ser mais magro, ter uma vida melhor, comprar um carro, mas essas coisas podem, muito bem, não fazer parte de seus sonhos. Sonho é algo que se constrói em nossa mente, que se planeja, que se trabalha para realizar; desejo é aquilo que se almeja, mas não necessariamente o impulsiona a agir. Você pode até desejar comprar um carro novo, mas se não tiver carteira de motorista ou guardar dinheiro, esse desejo vai ficar lá no mundo das ideias. Agora, se o seu desejo for ter aquele modelo de carro específico, e esse querer for tão forte que se torna uma meta... aí, sim, começamos a pensar em sonho. Entende a diferença?

O meu sonho era realizar, realizar e realizar! Eu precisava fazer as coisas acontecerem, mas onde eu estava era cômodo, eu era coadjuvante, meu marido era o grande maestro e, sem nenhuma arrogância, eu tinha de criar meu próprio espaço. Foi então, numa época em que eu já estava passando nas fases de concursos, que meu sogro adoeceu, meu marido teve um grande problema na empresa e eu decidir retornar.

> Prepare-se para assumir muitos riscos, para se jogar no fogo e, mesmo que em certos momentos rolem algumas queimaduras, esquecer alguma limitação que você possa acreditar que tenha.

Fiz uma escolha consciente, eu decidi, ninguém me pediu nada, mas ele merecia essa minha renúncia, por ter me proporcionado ser eu mesma, por ter entendido as razões que me levaram a buscar minha própria vontade, minha verdadeira conexão comigo mesma e com meu propósito de vida. Na época, eu só pedi que a gente dividisse as administrações e eu cuidaria apenas da loja, enquanto ele ficaria com o atacado, e assim foi feito. Foi aí que a grande mágica começou, quando me senti no controle, quando me tornei protagonista, chamei a responsabilidade inteiramente para mim e comecei a transformar uma loja de bebidas em um verdadeiro paraíso de presentes e, depois, dos móveis. E como fiz isso? Escutando o anseio das pessoas, escutando os clientes e utilizando tudo o que eu tinha visto e aprendido com as grandes marcas em São Paulo. O Universo tinha um propósito em minha vida.

Eu virei uma chave dentro de mim. E ela ligou e trouxe à tona uma força que eu desconhecia. Lembro-me que visitava as importadoras de presentes com uma foto da minha loja de bebidas e pedia a oportunidade de ampliar o portfólio; não foi fácil ganhar a confiança dessas grandes marcas, mas fui conquistando pedido a pedido, e duas das empresas que me abriram as portas são, hoje, grandes parceiras de negócios e patrocinam este livro.

Você também gostaria de realizar coisas diferentes? Prepare-se para assumir muitos riscos, para se jogar no fogo e, mesmo que em certos momentos rolem algumas queimaduras, esquecer alguma limitação que você possa acreditar que tenha. Para muita gente, eu deveria estar agora me aquietando, pensando num estilo de vida mais calmo; mas o que eu quero mesmo é abrir asas e me expressar diante do mundo, pois eu tenho uma voz, eu tenho uma mensagem e eu tenho muitos sonhos a concretizar. E você? Topa sair desse lugar e aceitar a chance de ser feliz e realizado, ser inteiro e dono dos seus sonhos, não mais um complemento *de alguma coisa*, mas um *você real*?

Bora lá!

Um compromisso para chamar de seu, só seu!

Quando decidi escrever este livro, tinha muito claros para mim dois grandes objetivos: mostrar para você que, sim, é possível realizar o que quiser e apresentar um caminho para transformar em realidade o que for apenas uma ideia. No entanto, eu só poderei cumprir meus objetivos se você assumir com seriedade o compromisso de se colocar como prioridade, e esse *sim a si mesmo* só você pode dar.

Quantas vezes você se pegou vivendo apenas para os outros? Colocando tudo como prioridade, menos aquilo que verdadeiramente o faria *mais* feliz?

Ao longo do livro, vou oferecer as ferramentas que mudaram a minha vida e podem ser a grande virada para a sua também: não seria incrível realizar ou colocar na direção certa seu grande sonho em até trinta dias?

É exatamente o que quero ajudá-lo a fazer. Por isso, ao final de cada capítulo teremos esse espaço para que você se conecte com o que realmente importa, tenha mais clareza em relação aos objetivos, planeje-se e, mais do que tudo, parta para ação. Teremos um plano semana a semana para você ir avançando, mas, antes, precisamos, digamos assim, *calibrar* a sua energia e tomar algumas decisões.

Proponho a você algumas práticas para começarmos esta jornada da melhor maneira possível.

1. Você vai vigiar seus pensamentos – isso quer dizer que, todas as vezes que pensar em deixar de fazer algo que é importante para você, como seguir na leitura deste livro, vai parar e se perguntar: "Eu preciso mesmo mudar de foco *neste exato momento*? O que está

tentando roubar minha atenção é realmente importante? *Quem* disse que eu não posso ter este momento para mim?".

(2) Sempre tenha com você um lápis ou uma caneta, ou mesmo um bloco de notas no celular, para anotar ou destacar algo que lhe chama a atenção e pode fazer aquela lâmpada na sua mente se acender. A gente nunca sabe quando vai encontrar a resposta que tanto procura.

(3) Lembra que eu lhe falei sobre treinar? Comece com aqueles sonhos que você vem procrastinando, deixando para amanhã. Comece com o peso leve, porém, que exija seu esforço. Realizar sonhos não para nunca. Você se tornará um realizador!

(4) Você vai definir um lema, uma frase, para dizer a si mesmo todos os dias quando acordar. Esse lema deve ser aquilo que você gostaria que a pessoa mais importante da sua vida lhe dissesse todos dias. E só uma dica: a pessoa mais importante é você mesmo! Pode ser algo como: *você é a pessoa mais incrível do mundo, você vai arrasar hoje, este vai ser o melhor dia da sua vida* etc. Escreva no espaço a seguir e, se possível, coloque essa frase em algum lugar para o qual você olhe todos os dias. Pode ser um *post-it* no espelho do banheiro, na porta do guarda-roupa, no espaço que fizer parte do seu ritual de todas as manhãs.

Meu lema é:

CAPÍTULO 2

POR QUE NÃO REALIZAMOS OS NOSSOS SONHOS?

41

Todos nós temos sonhos, sejam eles quais forem. É inevitável, quando deitamos a cabeça no travesseiro – ou até mesmo acordados – logo nos vem alguma coisa à cabeça: queremos uma vida melhor, trabalhar com aquilo que amamos, ter um cargo mais alto, ser gestores do nosso próprio tempo, viver grandes experiências, viajar, queremos mudar tudo. No entanto, entre um sonho e a realização dele há um abismo, uma zona de paralisação que parece prender muitos de nós.

Por onde começar? Será que esse sonho é mesmo realizável? Será que vale a pena? Será que ainda dá tempo de concretizar os nossos sonhos? O que nos afasta da realização deles? O que é sonho e o que é desejo? Até que ponto estamos dispostos a lutar pelos nossos sonhos? O que, de fato, nos impede de agir?

Entre dúvidas e inseguranças, adiamos nossos sonhos e vivemos com a angústia, aquele sentimento de "Eu poderia realizar mais por mim", "Eu poderia fazer melhor", ou simplesmente com aquele *e se* que tanto pode nos atormentar, quanto nos encorajar.

Muitas vezes nossos sonhos ficam estagnados simplesmente porque deixamos o tempo passar. Perdemos o *timing*, o momento de realizar e somos atropelados por outras "prioridades".

Às vezes, temos muito sucesso, certo *status* em nossa vida, e recomeçar parece um grande drama, uma diminuição de padrão. E se não me aceitarem nessa nova posição? E se eu deixar de ser respeitado? Esses *e se* paralisam nossos verdadeiros sonhos e nossas possibilidades.

Tudo isso sem contar os "falsos" sonhos. Objetivos que assumimos como padrões, por causa das expectativas de outras pessoas. E, quando chegamos lá, algo não parece certo. Não nos sentimos realizados como esperávamos. Já vi isso acontecer com várias pessoas que, por exemplo, escolheram suas carreiras por imposição dos pais ou seguiram dentro de um comércio porque a família exigia isso e acabaram se tornando infelizes. E quanto mais o tempo passa, mais dúvidas aparecem para quem não se reconhece no lugar em que está.

Quando visualizo esse tipo de cenário em minha mente, só consigo enxergar uma pessoa com uma nuvenzinha cheia de possibilidades passando pela sua cabeça. Certamente, você deve imaginar que eu suponho que esse alguém esteja perdido. Ao contrário, acredito que, em muitos casos, não é bem isso o que acontece.

Estamos acostumados – ou melhor, somos quase forçados – a viver em uma sociedade que nos foi imposta. Muitas vezes, nós nos sentimos cercados, sem saída. Nossa vida já começa a ser traçada antes mesmo de ser gerada, os planos para o futuro começam muito antes de darmos o primeiro passo ou falarmos "papai" ou "mamãe". Definem, automaticamente, que devemos nascer, crescer, escolher uma carreira, ser bons em algum *hobby* que nos dê prazer, encontrar um amor verdadeiro, casar, ter um bom emprego, formar uma família, ter, enfim, uma vida confortável para que possamos ver nossos netos crescer.

Muitas vezes, nós nos sentimos cercados, sem saída.

É o cenário perfeito para a vida perfeita; mas, quem foi que disse que tem de ser assim? Quem inventou isso? Obviamente, se esse for o seu sonho, vá fundo e não tenha medo de assumi-lo diante de quem acha – verdadeiramente – que isso tudo não faz sentido. No entanto, para muitas pessoas, esse plano perfeito não é tão perfeito assim. O meu convite com este livro é mostrar que qualquer pessoa pode *virar a chave* e abrir as portas para uma vida que lhe seja *extraordinária*.

O grande *x* da questão aqui é entender por que, então, as pessoas sentem tanta dificuldade em assumir *verdadeiramente* o que querem para a vida delas e, mais do que isso, dar o passo que precisa ser dado para ir atrás da vida que imaginam para si? E isso me leva a pensar em alguns motivos...

MAS ISSO
EU JÁ SABIA!

Já ouviu falar da Universidade de San Diego na Califórnia?

Eu acompanhei o Roberto Shinyashiki num *tour* pelos Estados Unidos, em março de 2017. Tive a sorte de tê-lo como meu mentor nessa época, e, entre vários cursos que assistimos, nosso grupo de aproximadamente 25 pessoas (entre empresários e profissionais liberais) de vários lugares do Brasil participou de uma aula sobre empreendedorismo dentro da Universidade de San Diego. Nesse dia a coordenadora nos contou que o maior desafio é conectar os alunos recém-formados da universidade aos altos executivos e empresários que vão fazer o MBA, criando assim possibilidades para todos os engajados na universidade.

Isso já aconteceu com você? Calma, não estou falando da dificuldade em conhecer as pessoas do MBA em San Diego, se é isso que passou pela sua cabeça. Estou falando sobre conhecer pessoas que se habituam às suas formas de realizar as tarefas e não se permitem aprender coisas novas, sabe? Quer saber por que isso acontece?

Aprendi dentro da Universidade de San Diego que, para haver crescimento, os mais experientes devem ter a humildade de segurar uma xícara vazia. Sim, isso mesmo! Foi esse o termo que utilizaram. Se quisermos aprender coisas novas, nos integrar com todas as possibilidades do mundo digital, com as pessoas mais jovens, com novas ideias, temos de estar sempre atentos, sem tantos prejulgamentos e com uma xícara vazia para aproveitar cada momento, cada "sacada".

E, ao mesmo tempo, exige-se igual atitude dos mais jovens que, apesar de terem tantos novos conteúdos e ferramentas para oferecer e até ensinar aos mais velhos, não têm a mesma experiência. E não me refiro apenas a experiência de trabalho, mas de vida. É uma via de mão dupla, um com o novo e o outro com a bagagem de uma vida toda; assim, tudo pode funcionar de modo melhor e mais eficaz, sobretudo no mundo dos negócios.

Isso faz sentido para você? Para mim fez muita diferença, e, analisando meu ano de 2016, foi exatamente essa mudança de mentalidade que me propiciou realizar mais sonhos em um único ano do que nos cinquenta últimos anos da minha vida. Mudei não só minha atitude diante dos meus projetos, mas também diante de ensinamentos e provas trazidos por pessoas muito mais jovens do que eu. Eu tive a humildade de dizer: "Isso eu não sei, quero aprender, você me ensina?". E essa atitude mudou tudo.

O contrário de assumir uma postura humilde e pronta para aprender tudo o que for novo é a síndrome do IEJS, que tem o famoso significado: "ISSO EU JÁ SABIA!".

Quando seu cérebro formula essa frase, ele já tirou você do comando para colocá-lo no "piloto automático", assim como ele faz com as generalizações, as procrastinações e todos os tipos de atitude que a gente toma de forma automática, sem pensar. E quando ligamos o piloto automático, nós nos fechamos para as novidades, impedimos que qualquer conteúdo novo entre em contato com a nossa vida.

Assumir e declarar verdadeiramente os nossos sonhos exige coragem. E é por causa dessa falta de coragem que abrimos espaço para os famosos ladrões que podem minar nossa possibilidade de sonhar. Sim, eles existem e estão mais evidentes do que você pode imaginar.

Esses ladrões não precisam ser necessariamente más pessoas ou desejar nosso mal; pelo contrário, muitas vezes existe uma boa intenção. As pessoas que nos amam não querem nos ver sofrer nem nos machucar, então tentam tirar algumas ideias da nossa cabeça, pois nos julgam pelo tamanho da régua que trazem dentro da própria mente.

Como um assalariado vai querer que seu filho empreenda? Talvez ele diga: "Filho, arrume um emprego, se possível que tenha estabilidade, e você não precisará sofrer". Como uma mãe vai dizer para sua filha: "Seja empresária, seja livre", se as suas referências são as de um emprego fixo e uma condição subalterna? As pessoas têm medo do desconhecido, e por isso tentam "matar" o sonho daqueles que elas amam pela janela dos seus medos ou daquilo que não foram capazes de realizar.

Já aconteceu isso com você?

Por acaso, já viu uma mãe que tem medo de barata? Ela vai gritar tanto, que vai transferir para sua filha o mesmo medo, e a criança deverá pensar: "Realmente, esse bicho deve ser terrível, pois minha mãe fez esse carnaval". Nós temos o hábito de reproduzir padrões. Por isso copiamos nossos pais, ou somos a negação deles... Observe seus padrões de comportamento e verifique quais você têm copiado ou repetido em sua vida, isso lhe trará clareza.

Escreva:

Entretanto, ladrões ruins são pessoas nocivas, negativas, que vivem gorando a possibilidade de êxito das outras pessoas, são egoístas. E quando ocupam – se ocuparem – posição de destaque, em geral são arrogantes e donas da verdade. Elas estão por toda parte, não levam nossos bens materiais, mas muitas vezes levam o que temos de melhor: nosso amor pela vida, nossos anseios, nosso equilíbrio. Por isso é tão importante você saber o perfil de cada ladrão para poder se proteger.

O terceiro tipo de que vamos falar mais à frente é um ladrão que vive dentro de nós; ele se aloja em nossos pensamentos, insufla nossos medos, também rouba uma parte da nossa energia e, a pior parte, paralisa nossas possibilidades de realização.

Descubra se algum desses ladrões tem visitado você e se proteja!

OS TRÊS TIPOS DE LADRÃO MAIS COMUNS EM NOSSO DIA A DIA

LADRÕES DE ENERGIA

Mais comuns do que gostaria, esses sugadores de energia estão por todos os lados e, como já citei anteriormente, pertencem à classe dos ladrões ruins. Além de permanecerem exatamente no lugar em que estão, esses ladrões também têm o poder de contaminar todos ao seu redor com a energia negativa da paralisação, ou seja, eles não sonham com nada e odeiam pessoas que sonham.

Conhece aquelas pessoas que não são felizes e que não querem que ninguém seja?

Vivem fazendo intriga, a arrogância é uma característica predominante. São líderes incapazes de fazer elogios ou de reconhecer a equipe, profissionais orgulhosos e mesquinhos. Se for alguém com quem você tenha um relacionamento afetivo, provavelmente essa pessoa fará de tudo para diminuí-lo, pois só assim poderá se exaltar e sentir que é melhor. Ou seja, é aquele tipo de parceiro que se aproveita das pequenas fraquezas do outro para se vangloriar, crescer e aparecer mais.

COMO COMBATER OS LADRÕES DE ENERGIA?

Existem pessoas mais sensíveis que chegam a adoecer por causa desse tipo de ladrão de energia, e a única forma de resolver essa contaminação é não entrar nessa sintonia.

E você deve estar se perguntando: mas como?

A única forma de resolver essa contaminação é não entrar nessa sintonia.

Talvez você já tenha visto o filme *A vida é bela* (se não, recomendo fortemente que o assista). Nele, temos a história de Guido, um judeu espirituoso e pai amoroso que, ao ser levado para um campo de concentração com seu filho, durante a Segunda Guerra Mundial, usa a criatividade para transformar essa experiência trágica em um jogo para seu filho. Guido poderia se entregar ao desespero, mas resolveu usar suas forças para ressignificar a maneira como enfrentaria o momento mais difícil de sua vida movido pelo amor que gerava nele uma energia imensurável. Meu convite não pretende tirá-lo da realidade, mas ajudá-lo a refletir sobre qual pode ser a fonte da sua energia, capaz de enfrentar qualquer situação adversa.

Certa vez eu estava atendendo um cliente de mentoria e ele me contou que tinha um grave problema com um colega de trabalho, que era seu grande ladrão de energia. Apenas de falar da pessoa, meu cliente já ruborizava, mudava a feição, fechava as mãos... Então, imagine conviver de oito a dez horas por dia ao lado de uma pessoa que lhe causa sensações assim.

Em um de nossos atendimentos, simulei uma situação e perguntei ao meu cliente se ele daria um desconto para a arrogância do colega se, por acaso, descobrisse que o tal "ladrão de energia" estivesse com a esposa com câncer no hospital e com a sogra dentro de casa cuidando das crianças, que poderiam, em breve, perder a mãe. Enquanto observava sua reação e o tempo que levou pensando em sua resposta, senti que ele ficou penalizado. Disse que nunca havia pensado por esse ângulo e que, ao imaginar essa situação, sentiu uma enorme piedade pela atitude do colega. Esse foi apenas um laboratório, uma nova interpretação para a atitude do colega, mas que ajudou meu cliente a mudar de postura todas as vezes que o colega tentava "roubar sua energia". Ele pensava: a dor dele é muito forte, ele precisa extravasar, e eu sou feliz, posso colaborar.

A verdade é que pessoas que roubam sua energia o fazem porque você permite.

Quando saímos da sintonia das pessoas negativas, não há combustão, ou seja, nossa vida segue outro rumo, a negatividade não nos alcança. Não é fácil, não; contudo, o importante é saber que é possível.

Os ladrões de energia são pessoas que não conseguem sair de onde estão, elas se comprazem em ser o que são, e qualquer pessoa que aja diferente delas incomoda. A ação dos outros é um espelho através do qual elas enxergam a própria paralisação diante da vida. É doloroso enxergar algo que não querem ver, por isso atacam.

Proteja-se e, se puder, afaste-se.

Se a convivência for necessária, eu tenho uma frase que para mim faz todo sentido: "Ninguém é tão ruim que não tenha qualidades, nem tão bom que não tenha defeitos.". Observe as qualidades das pessoas com quem você tem mais dificuldade em conviver, com certeza há algo nelas que faz a diferença positivamente. Coloque isso na balança, pois poderá ajudá-lo a mudar de perspectiva.

LADRÕES DE TEMPO

Time is money. Tempo é o que esses ladrões mais apreciam e, ironicamente, o tempo de que eles mais gostam é o seu.

Em geral, as pessoas que se deixam ser roubadas pelos ladrões de tempo estão sempre ocupadas. Sempre têm compromissos. E *reunião* é a palavra que mais usam em seu vocabulário. O que menos sabem fazer é administrar o tempo, usufruir de maneira positiva esse bem tão precioso.

A fome por realização é tamanha que as pessoas desse perfil não conseguem focar uma única atividade. Isso é ruim? Não quando é feito de modo planejado, articulado e consciente. Do contrário, sim, é péssimo, uma vez que o objetivo é apenas realizar, realizar a qualquer custo e em qualquer área, o famoso a*o que funcionar, ao que der certo*, eu passo a me dedicar mais, com mais vontade.

Entretanto, e se nada der certo? Para onde foi todo o seu tempo?

Outro ponto comum desses lesados pelo tempo é o desejo de dar conta de tudo. Quem foi que inventou que dar conta de tudo é o melhor caminho? É mesmo desnecessário delegar funções? É mesmo bonito ser um super-herói dos negócios, que trabalha quinze horas por dia? Em que momento do dia o tempo é dedicado a si mesmo e à família?

Isso sem falar em prioridades e rotina. Inverte-se a balança das coisas importantes com as coisas materiais: nem tudo que custa dinheiro é importante, lembre-se disso! E a rotina? Por que ficar sonhando com a casa na praia de frente para o mar se dormir não faz parte dos seus planos para o dia a dia?

Tem pessoas que são tão pobres que só têm dinheiro. Não viajam, não vão ao cinema, trocam sua família por bens materiais. Acho esse preço muito alto. O equilíbrio é a ferramenta mais poderosa para a felicidade.

Tempo é, sim, um bem precioso, mas saber usá-lo e dosá-lo é um dos caminhos para conseguir se dedicar aos sonhos. Afinal uma cabeça inteiramente ocupada o tempo todo não é capaz de parar para pensar em sonhos, em planos para o futuro.

É isso o que você quer para a sua vida? Muito trabalho, muito dinheiro e pouquíssimo tempo livre?

COMO COMBATER OS LADRÕES DE TEMPO?

Para combater os ladrões de tempo, podemos elencar algumas atitudes muito importantes.

Aprenda a dizer "não". Pessoas muito permissivas têm dificuldade em realizar seus projetos porque não sabem dizer "não". Em geral, querem agradar aos outros e esquecem de agradar à pessoa mais importante: *elas mesmas*.

Dizer "não" é algo que pode ser aprendido, basta que você faça uma análise de quantas coisas com as quais você já tinha se comprometido deverá deixar de fazer para dizer sim a algo que "apareceu" sem que você tivesse planejado, e quanto tempo isso lhe custará mais tarde. As pessoas que não valorizam seu tempo não podem esperar que os outros o façam.

Crie prioridades. Para controlar seu tempo, você deve estabelecer prioridades; alguns assuntos devem ser como rochas no seu dia, ou seja, seu peso é tão grande que para movê-los precisará de muito esforço.

Qual o peso você dá para sua família? Para sua saúde? Para seus sonhos? Eles são rochas na sua agenda ou são esquecidos e viram pó? Você tem um espaço só seu na sua semana? Experimente!

Desconecte-se. As redes sociais têm sido grandes aliadas do meu trabalho, mas, se a gente deixar, elas se tornam as maiores vilãs da produtividade. Quanto tempo do seu dia você passa contemplando a vida dos outros, quando poderia estar focado na sua vida, nos seus sonhos e nos seus projetos? Certa vez assisti a uma palestra com Randi Zuckerberg, uma das criadoras do Facebook, e sabe o ponto alto da sua palestra? O momento em que ela disse da importância de nos desligarmos de tudo, focar nós mesmos, nossos projetos; ela também contou que já existem hotéis nos Estados Unidos onde não há sinal de wi-fi para que as pessoas possam apreciar outras coisas. Precisamos dar um passo para trás no mundo digital para não nos perder de nós mesmos, nem de nossa essência.

Baseada nisso, minha sugestão é que você fique desconectado da internet por algumas horas do seu dia para colocar foco nas suas tarefas. Talvez você se surpreenda com a quantidade de tempo que vai lhe sobrar.

LADRÕES DE SONHOS

Life is real, baby!

A vida real é cruel. É?

De todos os ladrões, esse é o que mais me preocupa, pois, muitas vezes, ele pode estar bem camuflado dentro de nós; com os dois pés fincados na realidade, abrimos as portas para os sonhos irem embora e, por essa mesma porta, deixamos que não só a nossa consciência domine as *contas a pagar no fim do mês* como também distribuímos convites de camarote para que grandes donos da verdade assumam as rédeas da nossa vida e nos façam ficar presos à rotina e ao sucesso que já temos.

Trocando em poucas palavras, acreditar que a vida real é muito melhor que a vida que sonhamos é dar asas ao medo da imaginação.

Oi? O que você quis dizer com isso?

É simples: muitas vezes, deixamos de sonhar, de lutar pelos nossos objetivos porque temos medo do sucesso, do que pode vir do nosso esforço, da recompensa. E, como todo mundo já sabe, medo é algo que paralisa, que aprisiona. O medo do sucesso, do *e se der certo* é muito mais paralisador do que o medo do fracasso.

O raciocínio é elementar: sempre que decidimos ir em frente com um sonho, temos a resposta na ponta da língua para o caso de fracassar, traçamos planos B, C e D, poupamos uma quantia em dinheiro, mas nunca, *nunca* nos preparamos para o sucesso. Nunca imaginamos a situação do "chegar lá", dos elogios que vamos receber, do dinheiro que vamos ganhar e dos planos que deveremos traçar caso o negócio seja um sucesso absoluto.

E por que fazemos isso?

Ora, porque fracassar é compreensível, todos já fracassamos uma vez na vida, mas o sucesso é coisa para poucos. Poucos conquistam o que querem e, na maioria das vezes, tiveram sorte e uma boa ajuda de *alguém*.

Essa é a mentira da vida real que sempre contamos a nós mesmos. E, a partir de agora, você vai parar de fazer isso e vai começar a pensar no sucesso, na glória, no sonho realizado. Mude sua tática e seja um realizador de sonhos, não um colecionador de eventuais fracassos.

COMO COMBATER OS LADRÕES DE SONHOS

Isso só é possível se tomar algumas decisões e estruturar seus sonhos para a realização. Você precisa decidir aonde quer chegar, assumir as responsabilidades e traçar um plano de ação. Essa é a grande chave que o método que desenvolvi vai lhe entregar. Os ladrões de sonhos se proliferam na estagnação, na paralisação e, a partir desta etapa do livro, você vai seguir o passo a passo para colocar qualquer ladrão de sonhos para fora, *game over*. Qualquer pessoa pode se tornar um realizador de sonhos, assuma este poder.

Os lados bom e ruim da generalização

A maioria das pessoas não realiza sonhos porque generaliza experiências vividas anteriormente como verdades para as próximas experiências. Elas ignoram que cada situação é única. Isso geralmente acontece quando algo dá errado na nossa vida e começamos a achar que tudo o que for semelhante também dará errado. Essa é uma perspectiva ruim, é o lado mau de achar que já sabemos o "fim da história" e não nos permitimos tentar novamente.

Ter um único caminho para atingir seus objetivos pode ser desastroso; por isso, a flexibilidade e a adaptação podem fazer sua trajetória mais leve e mais feliz. Realizar os ajustes necessários nas nossas atitudes fará com que tenhamos resultados diferentes.

O lado bom é que a generalização nos permite saber que quando colocamos o dedo na tomada, podemos tomar choque; ter a correta percepção do que pode acontecer nos faz tomar cuidado, agir com cautela e segurança para não cometer sempre os mesmos erros.

O importante é ter consciência para que nada seja um impedimento para realizar nossos sonhos.

Quais situações na sua vida são recorrentes? De que modo elas acontecem? Você tem generalizado essas situações? Escreva pelo menos três ações que poderia fazer diferente do que fez anteriormente para conquistar novos resultados.

DETOX: como manter a mente e as suas atitudes livres dos ladrões de sonhos e das desculpas

No fundo, a gente sempre sabe quais são as desculpas, os bloqueios que estão em nosso caminho para a realização; no entanto, tomar uma atitude diante desses adversários nem sempre é fácil. Eu sei. E antes que você comece a pensar numa justificativa para a paralisação que possa estar vivendo, vamos imediatamente estabelecer o treino preparatório e o detox que você precisa fazer a partir de agora para que possamos seguir rumo à realização dos seus sonhos.

Afinal, assim como um atleta não participa de um campeonato sem se preparar, você também precisa fortalecer os próprios músculos para concretizar o que precisa acontecer em sua vida.

Bora lá!

SÍNDROME IEJS

A síndrome do *isso eu já sabia* é muito perigosa, pois nos impede de evoluir. Mesmo que já conheçamos muito sobre um tema, sempre tem algo a mais que se possa descobrir.

Eu falei que, para combater essa síndrome, é preciso sempre manter uma xícara vazia. E você pode pensar "Ok, mas como?". Então, aqui vão algumas recomendações.

① Ouça tudo como se fosse a primeira vez, mesmo que seja algo que já tenha ouvido diversas vezes. Para cada reencontro com um tema que já conheça, tente encontrar os detalhes que passaram despercebidos.

② Adote um caderninho, um arquivo ou qualquer ferramenta que use para anotações a fim de manter uma base de estudos. Use essa ferramenta para anotar as ideias que lhe vêm, as descobertas que faz a respeito de um tema que lhe interesse e aproveite-a para revisões sempre que necessário.

③ Inclua mais perguntas em suas interações. O segredo para não se deixar contaminar pela IEJS é estar disposto a ouvir com atenção, e não há melhor maneira de estimular o outro a falar do que por meio de perguntas. Então, quando alguém lhe apresentar algo que você julgue já conhecer, em vez de desligar a atenção e deixar os pensamentos vagarem por aí, tente criar um espaço de troca. Questione, peça a essa pessoa que compartilhe uma experiência na qual colocou em prática o que está indicando, tente contrapor pontos de vista.

Capítulo : Por que não realizamos os nossos sonhos?

LADRÕES DE ENERGIA

Energia é o que nos mantém em movimento, então, cuidar da sua é algo que deve estar no topo das prioridades. Por isso, alguns ajustes na rotina podem ajudar a manter sua disposição em alta.

Você só consegue se manter no controle de sua energia se também estiver no controle do seu tempo.

① A quais atividades da sua rotina você precisa direcionar muita energia (porque é algo que você não gosta de fazer ou por ser de uma maneira que o desestimula)? Pense sobre isso e tente imaginar _como_ realizar essas mesmas atividades pode ser menos custoso para você.

② O que lhe traz energia? Trabalhar com criatividade, ter contato com as pessoas, fazer exercício, atividades manuais? Tente listar os momentos mais agradáveis e prazerosos e crie uma estratégia para torná-los mais frequentes na sua rotina.

LADRÕES DE TEMPO

Falar de energia nos leva a falar de tempo, ou melhor, gestão do tempo. Você só consegue se manter no controle de sua energia se também estiver no controle do seu tempo. E, apesar de termos de lidar com imprevistos e influências externas que muitas vezes não são negociáveis, sempre temos a oportunidade de cuidar melhor de nós mesmos e do que é importante para nós – até para não sofrer tanto quando essas "interrupções" aparecem.

① Em qual momento do dia você se sente mais produtivo? O que você pode fazer para valorizar ainda mais esse período?

② Quais são os acontecimentos mais comuns que tiram você do controle do seu tempo? Há elementos que se repetem? Você poderia propor um acordo consigo mesmo e com possíveis envolvidos para melhorar essas relações?

③ Quem é o dono da sua agenda? Você consegue criar espaços que são única e exclusivamente seus e inegociáveis a não ser que aconteça algo realmente urgente?

Liste tudo isso e encontre as oportunidades para valorizar o seu tempo.

LADRÕES DE SONHOS

O que tem feito você duvidar do próprio poder de realização? O que ou quem, na sua vida, faz pensar que algo é impossível para você? É preciso silenciar essas vozes.

1. Não se esqueça do seu lema. Ele deve ser a sua âncora todas as vezes que algo tentar colocar uma barreira nos seus sonhos.

2. Seja seu melhor amigo. Quando uma amiga ou um amigo seu passa por um momento de confusão ou medo, tenho certeza de que você é a primeira pessoa a mover rios e montanhas, se preciso for, para tirar esse alguém tão especial dessa onda de pessimismo. Seja essa pessoa para si mesmo!

POSTURA, MEU BEM!

Só você pode fazer o que precisa ser feito para assumir as rédeas de sua vida. E uma atitude que contribui muito para assumir esse poder é fazê-lo refletir na sua expressão corporal. Então vamos lá: endireite as costas, olhe nos olhos das pessoas, mantenha a cabeça erguida e não se encolha quando se deparar com uma situação de conflito.

Para ajudá-lo a fazer isso, algumas coisas são importantes.

1. Perceba como está sua postura (você pode até escolher um aliado e pedir que ele fotografe você sem que você perceba).

2. Quando estiver num momento de tensão ou de euforia, observe como seu corpo está refletindo isso.

3. Pergunte a pessoas de sua confiança como enxergam sua postura corporal, seu tom de voz e suas atitudes em momentos de negociação ou apresentação.

4. Seja o melhor orador das suas ideias. Quando tiver de apresentar sua ideia a alguém, faça-o com entusiasmo. Seja seu melhor vendedor.

CAPÍTULO 3

MIRA E VAI!

A verdade, aquela que ninguém nos conta, é que muito se fala sobre foco, mas quase nada sobre como se manter focado em determinada coisa, seja numa simples dieta, seja numa mudança radical da nossa vida. E é aí que começamos a cair em inúmeras armadilhas e, na maioria das vezes, nem nos damos conta que estamos em uma verdadeira enrascada.

Imagine, por exemplo, uma situação em que você se destaca por ser diferente de todos os que estão a seu redor: pensa diferente, age diferente, faz planos diferentes daqueles que estão a seu lado. Enfim, suas escolhas, definitivamente, não se encaixam no momento em que vivem as pessoas ao seu redor. Nessa situação, você tem duas opções:

1. ser diferente mesmo e ponto. *Pagar o preço*. E passar a encarar positivamente essa atitude que destoa do seu ambiente; aos poucos, você consegue mostrar que está tudo bem e que ser quem você é importa muito mais do que qualquer outra coisa;

2. passar a ser igual aos outros e cair na *mesmice*. Abrir mão daquilo que você é ou gostaria de ser para não desapontar e não criar pequenas discussões entre aqueles que tanto lhe fazem bem e o amam.

Essas duas são as únicas opções possíveis e, por mais incrível que possa parecer, ambas exigem *decisão*. E paciência, muita paciência.

62

Agir de uma maneira ou de outra é o que vai fazer a diferença na sua vida.

Agir de uma maneira ou de outra é o que vai fazer a diferença na sua vida, e acredito que essa escolha depende muito do momento que estamos vivendo. Para tomar uma decisão de mudança é preciso dar *foco*, ou seja, sua decisão principal tem de ser o centro da sua meta e todas as demais decisões secundárias deverão estar alinhadas com a principal.

E por que isso?

Ora, como já venho dizendo desde o início deste livro, definir um sonho, fazer escolhas e renunciar a outras não é tão simples quanto parece; e, muitas vezes, está bem continuar como estamos. Mudar dá muito trabalho. Mudar cansa. Mudar dá medo. Mudar assusta.

Sim, mudar exige encarar tudo isso mesmo. Todos esses medos e conceitos preestabelecidos. E só o foco é capaz de fazer você vencer esse desafio. É a sua postura que vai definir se você pagará o preço ou ficará na mesmice na sua lista de opções de comportamento diante da vida.

Vamos entender melhor, então, o que é esse tal foco que tanto falam, mas só ouvimos falar?

Muito além de ser o ponto central de determinado assunto, estabelecer um foco significa decidir se manter em determinado estado, agindo e mudando certas atitudes para alcançar um objetivo. Por isso, manter-se focado é tão difícil. Basta pensar em quantas vezes você já começou e já interrompeu uma dieta, não é?

Quando se estabelece o foco principal é como se estivéssemos desenhando um novo filme para a nossa vida. Imagine, por exemplo, que você está disposto a resolver um problema financeiro e, assim, idealizou o estado desejado, sabendo exatamente o tamanho do rombo que precisa cobrir, mas, ao ser convidado para passar o fim de semana na praia com amigos, pensa: "É só essa semana, depois volto ao normal.".

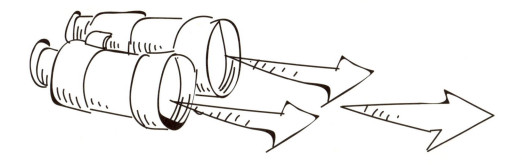

Que mensagem você manda ao seu cérebro? *Ele não cumpre as próprias regras...*

E às pequenas "escorregadas" vão se somando coisas aparentemente insignificantes até culminarem numa crise, que, aliás, nada mais é do que um acerto de contas. A crise é a soma de pequenas ações aparentemente insignificantes que foram menosprezadas. Isso acontece nas finanças, nos relacionamentos, nas empresas e até no país.

Tenho um amigo querido que dá palestras sobre emagrecimento saudável. Já assisti a várias delas, e ele sempre diz: "Ninguém dorme numa noite qualquer saudável e acorda no dia seguinte com colesterol alterado ou com diabetes, ou 10 kg mais gordo; essas consequências ocorrem por uma sucessão de atitudes indisciplinadas da pessoa e uma hora chega o famoso *acerto de contas*".

> **A crise é a soma de pequenas ações aparentemente insignificantes que foram menosprezadas.**

Qualquer que seja a área da nossa vida, nunca é demais lembrar que, independentemente de nossas atitudes serem realizadas para nós mesmos ou para os outros, sempre teremos a semeadura livre, a liberdade de escolha; porém, a colheita é obrigatória. Em outras palavras, para toda ação há uma reação.

Criando hábitos: É possível?

A teoria dos 21 dias, criada pelo psicólogo e cirurgião plástico Maxwell Maltz, em 1960, tem ganhado milhares de adeptos ao longo do tempo. E isso, segundo cientistas que seguem os estudos do psicólogo, só faz certificar o que Maltz descobriu em 1960. A verdade é que o cérebro, ao perceber um comportamento que se repete constantemente, passa a criar vias sinápticas mais rápidas, de modo que uma ação aciona a seguinte de forma automática, o que, com o tempo, chamamos de hábito. De acordo com essa teoria, levamos 21 dias para criar um novo hábito, ou seja, para passar a fazer determinada coisa de modo tão automático, que não nos damos conta do que estamos fazendo.

Pois bem, nada melhor do que testar a teoria, não é?

Defina algo que gostaria de transformar em hábito e passe a fazê-lo diariamente durante 21 dias, e veja, depois, o que acontecerá.

Comece, por exemplo, com uma atividade física, com uma alteração em sua rotina, com uma dieta. Enfim, seja consciente e escolha algo que conseguirá cumprir durante 21 dias e que, obviamente, fará você se sentir melhor.

Lembre-se: se pular um dia, terá de reiniciar o processo. Seja coerente consigo mesmo.

Outra dica importante: comece com algo simples, para que você aprenda a criar hábitos. Não escolha nada complexo que possa desmotivá-lo.

A cada meta alcançada, comemore e, em seguida, estabeleça outras mais complexas.

Analise como foi seu comportamento durante esse período. As vezes que tentou dar desculpas, os dias que teve vontade de boicotar o próprio roteiro.

Depois de atingir seu objetivo, escreva o que mudou e como se sentiu com essa mudança.

Lembre-se: o processo de definir seus sonhos deve se manter continuamente, pois só assim, você conseguirá entender o que é foco e, sobretudo, manter-se focado naquilo que definiu seguir.

E, a partir de agora, o seu foco será tornar-se um realizador.

PREOCUPE-SE MENOS
COM O EXTERIOR

Pode parecer repetição de mais do mesmo, a velha síndrome do *isso eu já sabia*. Acredito, porém, que você já tenha internalizado a metáfora da xícara vazia que apresentei no capítulo anterior e, por isso, preste atenção nesse ponto: *deixe de se preocupar com o exterior!*

Ao definir qual é o seu sonho – não importa mesmo qual seja – passe a traçar suas metas para realizá-lo, para se tornar um realizador de sonhos. Não dê tanta atenção ao exterior.

Muitas vezes, não conseguimos entender por que é tão difícil realizar um sonho; aparentemente, a fórmula da não realização parece ser muito mais simples que a fórmula da realização, e, então, passamos a encarar a mudança como algo difícil de conquistar. Deixamos de ser autores para ser coadjuvantes dos acontecimentos e das escolhas dos outros, preferimos participar a ter de tomar as rédeas e decidir.

Não. Não é bem assim.

E o que acontece daí em diante é que passamos a internalizar, a acreditar em tudo o que vem de fora: "Se os outros pensam que a minha vida é tão maravilhosa, por que insisto em mudá-la? Em achar que não está bom? Em ter sede de mudança? Por que planejo ser outra pessoa?".

Com essa ilusão que o exterior nos causa, entramos em uma onda de reclamação e estagnação constante, e o que aos olhos dos outros parecia estar excelente, passa a ser um fardo em nossa vida. Então, por que passar a vida carregando esse fardo? Por que não mudar?

É simples. O medo e o julgamento de quem assiste, mas não participa de fato da nossa vida, fazem-nos parar diante de qualquer ação para a realização de um sonho, que pode ser apenas uma mudança simples na rotina. Em outros momentos, o que nos afeta é o medo de decepcionar quem amamos. O medo do fracasso nos aterroriza demais. E o medo do sucesso, esse de que quase ninguém fala, mas que atormenta mais que o medo do fracasso? Esse, sim, pode paralisar a vida de alguém para sempre.

Deixar de se preocupar com o exterior, com o que outro pensa, não quer dizer que você vai deixar de respeitar a opinião do outro e deixar de amar as pessoas que o cercam. Ao contrário, decidir importar-se mais com você mesmo é amar-se em primeiro lugar; se você não estiver bem, não conseguirá fazer a diferença positivamente na vida de ninguém.

Quando deixamos de nos preocupar com o exterior, ao mesmo tempo que acionamos a "tecla F", buscamos algo mais sublime dentro de nós, passamos a nos preocupar com nosso propósito de vida; nosso acerto de contas é com o nosso *eu superior*, com o verdadeiro porquê de estarmos vivendo essa vida, e, principalmente, com o legado que queremos deixar.

E qual seria o momento de *virar o jogo*? Como saber o *momento da virada*, de dar vida, de colocar energia, foco em algo?

Como diria minha grande amiga Rosely Boschini, uma mulher admirável e ímpar, alguém que de maneira direta me desafiou a escrever este livro: "Alguma coisa precisa incomodá-lo tanto a ponto de causar uma indignação tão grande dentro de você, que você quase precisa parir essa mudança.". Essa é a hora de mudar, essa é a hora de colocar para fora o que você pensa, o que você quer, seus projetos mais esquecidos, sua identidade, seu propósito, sua verdadeira missão.

As oportunidades na nossa vida são como pratos especialmente elaborados: você só saberá se gosta, só conhecerá o sabor, se experimentar. Há muitos anos venho me dedicando ao autoconhecimento e ao conhecimento do comportamento humano; conhecer a nós mesmos e as nossas limitações e crenças nos permite compreender as nossas atitudes e as dos outros. E, assim, sofremos menos e, consequentemente, somos mais felizes.

A partir do momento em que transformamos nossa vida para melhor, todos que convivem conosco se beneficiam do *upgrade*; não ensinamos apenas com palavras, ensinamos com exemplos. Nosso comportamento deve espelhar o que falamos.

Em 2016 eu já estava havia mais de dez anos participando de cursos nas mais variadas áreas de desenvolvimento pessoal e fui ao Rio de Janeiro fazer um curso sobre missão de vida com uma norte-americana chamada Marjean Holden, que veio ao Brasil especialmente para isso. Ela foi artista de Hollywood e hoje se dedica a treinar pessoas para encontrarem sua missão de vida.

Como eu já disse, nossa missão, ou propósito de vida, é algo que traz sentido à nossa existência, e daí entendemos por que fazemos o que fazemos, o que nos tira da cama com energia.

Por que uma empresária como eu não se contenta apenas em atuar no comércio ou no mundo dos negócios? As respostas começam a ser desvendadas depois de muita busca e, com frequência, de maneira surpreendente – o importante é saber que elas não vêm de forma instantânea, é preciso insistência, disposição e coragem, devemos persegui-las até encontrá-las.

Pois bem, nesse curso com Marjean várias fichas caíram, até mesmo quando lembrei que o meu sonho de infância era ser professora. Eu fui alfabetizada muito cedo e me recordo de que morávamos num conjunto de casas que a companhia em que meu pai era contratado oferecia para quem trabalhava fora da cidade; era um vilarejo considerado área rural, e nós éramos da cidade, tínhamos um padrão de vida diferente do daquelas pessoas, muito simples, mas extremamente queridas e carinhosas.

Meu *hobby* era reunir as crianças dos sítios vizinhos no extenso quintal da minha casa e, com uma lousinha que ganhei de Natal, dava aula àqueles garotos, alguns até mais velhos, mas que sequer sabiam ler direito, e eu, a "abelhuda", acabava ajudando a alfabetizar meus coleguinhas – muitos dos quais trabalhavam desde cedo para contribuir na família.

Lembro-me de um garoto que entregava leite na minha casa bem cedinho e voltava à tarde para as minhas aulinhas. Essa lembrança desencadeou outras e causou uma revolução dentro de mim; sim, eu sempre quis ensinar, mais do que isso, compartilhar o pouco que eu sabia para ajudar – minha missão era compartilhar, ensinar o que sei, desde pequena. Isso sempre fez meu coração bater mais forte, mas, como venho de uma família de comerciantes, o lado comercial falou mais alto. Mesmo assim, desde que me lembro, tudo o que eu aprendo, sinto que posso retransmitir de forma simples e prática.

E as lembranças não pararam... Lembrei-me de ter dado aulas ainda menina num catecismo kardecista, com a supervisão de um médico amigo da nossa família, doutor Ary, que, com sua esposa, Gláucia, iam me buscar todos os domingos para dar aulas às crianças menores. Depois de casada, com meus filhos pequenos, fui voluntária no Hospital do Câncer infantil e dava aulas de pintura em tecido e montagem de bijuterias para mães e filhos que ficavam no ambulatório aguardando o tratamento.

Eu era *expert* nesses assuntos? Não, mas tinha boa vontade e um amor tão grande por ensinar que os médicos vieram me pedir para ir um dia a mais na semana, pois as quartas-feiras eram sempre lotadas por causa das minhas aulas.

Nas empresas em que trabalhei, sempre tive muita disposição em ensinar, e assim continuo até hoje.

Voltando ao Rio de Janeiro, numa das dinâmicas sobre nossa missão, um colega viu meu desenho e falou: "Nossa, sua missão tem tudo a ver com você, porém, se você conhecesse o marketing digital, isso poderia ajudá-la muito.". Eu me lembro de que era um domingo, e ele comentou: "Pena que esse curso vai

69
Se é para descobrir minha missão, eu tenho de ir.

acontecer na próxima quinta-feira e será em Belo Horizonte.".

Naquele instante algo *gritou* dentro de mim: "Se é para descobrir minha missão, eu tenho de ir.". Como explicar racionalmente para as pessoas que você volta de um curso do Rio de Janeiro no domingo e parte para outro curso na quinta-feira, em Belo Horizonte?

Nessa hora é que é preciso estar absolutamente seguro do que está fazendo, de qual é o seu *foco*, do pedaço do roteiro que falta para montar seu filme.

Na quinta-feira seguinte, lá estava eu no Hotel Ouro Minas, em Belo Horizonte, num evento do meu grande amigo Samuel Pereira – naquela época, eu sequer sabia o nome dele, tampouco o que ele fazia. Não entendia nada desse mundo digital, não tinha ideia de quem eram aquelas pessoas que estavam ali sendo aplaudidas: eu sou do mundo off-line, mas uma coisa me convenceu, aquela "garotada" sabia o que estava falando; conforme fui aprendendo, um mundo novo se abriu para mim, percebi quanto eu estava distante dessa realidade. E olhe que eu achava que estar inserida no digital era ter conta no Facebook, e-commerce etc. Nada disso, ou melhor, tudo isso e muito mais. Graças à minha imersão nesse mundo e ao fato de eu ter me permitido adentrá-lo com a "xícara vazia", hoje tenho meu curso pela internet, o Reinvente Você[2], que tem ajudado diversas pessoas que, muitas vezes, não podem pegar um avião e ir a Belo Horizonte, mas que têm vontade de reescrever a história delas.

Quando voltei disposta a implementar tudo o que havia aprendido, também visualizei que eu tinha outro produto pronto em minha empresa: os cursos de vinho que meu filho, que é *sommelier* internacional, ministrava. Inserimos esses cursos e meu filho no mercado digital e, hoje, ele tem muitos seguidores e

---

2 Disponível em: <www.lilianbertin.com.br>. Acesso em: 8 fev. 2018.

alunos espalhados por todo o Brasil, ensinando que aprender sobre vinho é algo muito simples e acessível a todos. Seus cursos estão no site Vinho Mais[3]. Meu irmão comprou a ideia da inserção digital e criou a própria agência, que cuida de projetos incríveis.

E tudo isso graças a quê? A uma decisão de fazer um curso seguido de outro.

Quando você muda, tudo ao seu redor muda com você. O Universo conspira a seu favor.

APRENDA A SER SELETIVO

Preciso deixar este alerta.

Não é porque você se tornará um realizador de sonhos que passará a fazer disso sua válvula de escape para transformar e responder a tudo o que o incomoda. Não. Não é bem assim.

Em primeiro lugar – e acredito ser o mais importante –, é preciso entender quem são as pessoas que realmente fazem a diferença na sua vida e por quais motivos elas se decepcionariam com as suas atitudes. A ideia aqui não é que você saia por aí espalhando mudanças estapafúrdias e mágoas desnecessárias.

Aprender a ser seletivo vai muito além de aprender a definir os seus sonhos. É uma espécie de verificação de quanto o seu projeto é sustentável e como afeta positivamente sua vida e a vida das pessoas que você ama. E, para isso, é preciso que você se concentre, tire um momento do seu dia para pensar em tudo o que tem acontecido em sua vida. E, depois disso, organize-se para responder:

1. Qual é o meu sonho?

2. O que me impede de realizá-lo?

3. Esse sonho atrapalharia a vida de alguém?

---

3 Disponível em:<www.lilianbertin.com.br>. Acesso em: 8 fev. 2018.

4. O que eu preciso fazer para conseguir planejá-lo?
5. Quem se importa comigo?
6. As críticas que ouço vêm realmente de pessoas que me amam e querem meu bem?
7. Como conscientizar essas pessoas de quanto esse sonho é importante para mim?
8. Eu realmente acredito que vale a pena lutar pelo meu sonho?
9. O que me faz feliz hoje?
10. O que eu preciso para ficar mais feliz?

Aprender a selecionar é aprender a respeitar os seus sonhos, os seus planos e a sua história. Não importa que decisão você tome, o que importa é o motivo pelo qual você escolheu o lugar da mesmice ou o lugar do realizador.

Suas decisões estão sempre relacionadas a outras pessoas, ao mundo que o cerca; ao fazer uma opção, a balança deve apontar o seu lado que fala mais alto, se realmente vale a pena e se você está disposto e consciente das responsabilidades que deverá assumir em decorrência da realização dos seus sonhos.

Manter-se integralmente sustentável com relação aos sonhos é saber encontrar o equilíbrio e pautar esses sonhos, os seus posicionamentos e os caminhos a seguir com base naquilo que o cerca. Libertar-se dos ladrões de sonhos, como já mencionado no capítulo 2, é um dos passos para saber filtrar tudo aquilo que é nocivo e pode afastá-lo da sua realização, do seu sonho.

Gosto muito de uma frase que diz: "Você pode fazer tudo o que quiser sem perder-se a si mesmo.". Sim, vejo pessoas "queimando a ponte" e jogando um monte de cinzas para o alto. E qual é o custo disso?

Muitas vezes, precisamos fazer certos ajustes e alinhar alguns desalinhos para encontrar o fluxo da realização de sonhos, e esse caminho já é o começo da realização e da seleção daquilo que realmente vale a pena para você, para a sua essência enquanto ser humano e para a sua história.

Por isso, antes de virar a chavinha da não realização para a realização, é preciso entender que aprender a selecionar pode ser um percurso dolorido; é preciso, sim, colocar na balança seus valores, e a dor é um passaporte necessário para que os seus sonhos comecem a tomar forma e ocupem a sua rotina e a de todos aqueles que fazem parte e realmente importam na sua vida.

Utilizando um método poderoso, mas muito simples, você vai conseguir ter um passo a passo de como começar. E, por ser tão simples, ele funciona? Posso garantir que, se funcionou para mim, para meu filho, para meu irmão, poderá funcionar para você. O que acontece é que achamos que para conquistar algo tão desejado precisamos de fórmulas mirabolantes e deixamos de fazer o básico.

Cada vez que negligenciamos algo simples, como:

- gastar menos do que ganhamos;

- comer menos calorias do que nos acostumamos a ingerir;

- deixar coisas importantes sem fazer.

Quando não realizamos nossos sonhos por falta de coragem, é possível que, ao final de algum tempo, encontremo-nos com um acerto de contas, seja com o banco, com a balança, com a saúde, com seu equilíbrio, seja com seu arrependimento de não ter vivido seus projetos.

A soma de pequenos hábitos corretos é aquilo que chamamos de disciplina; ela nos garante o equilíbrio para atingir nossas conquistas. Vamos tentar?

Vire a chave

Como sair da *mesmice* para ser um *realizador*?

Essa mudança de percurso e de postura tem muito a ver com o que você está disposto a enviar para o Universo para, em seguida, receber a sua resposta. Isto é, o foco de que falamos e detalhamos há pouco. Caso você perceba que está acomodado com a mesmice, mas quer se tornar um realizador, está na hora de entrar na fase de transição.

Mudar o foco é essencial para começar a virar a chave. E isso requer, por exemplo, que você deixe de reclamar e de enviar energias negativas para a vida que você tem hoje, para tudo o que conquistou: energia negativa atrai energia negativa, e o *looping* que começa nesse negativismo dificilmente termina se você continua reclamando e aplaudindo a sua situação atual.

Veja o meu exemplo: quando decidi me tornar uma realizadora, encontrava-me em uma situação bastante confortável – minha vida era boa e eu sabia disso –, mas foi o meu desejo de querer ser algo, de ouvir e entender a minha missão, que me fez dar o *start* de que precisava para virar a chave e acreditar que eu era capaz e poderia realizar mais, conquistar os meus sonhos.

Então, antes de planejar ser um realizador, planeje sair da mesmice e deixar lá tudo o que lhe faz mal e o torna uma companhia pesada, que só sabe reclamar e não agradece tudo o que já conquistou – pois, perceba, não é preciso necessariamente abrir mão daquilo que você tem hoje para ser diferente amanhã.

Aprender a conciliar os dois é, na verdade, o gatilho que pode transformar a sua transição de fase para, só depois, dar início aos passos que compõem o meu *manual* de realização de sonhos.

De agora em diante, seu objetivo será mudar o foco. Tente entender suas reclamações.

① Por que reclamo tanto?

② O que não está bom?

③ Por que me sinto infeliz se todos me dizem o contrário?

④ Quem sou eu de verdade?

⑤ O que eu mudaria na minha vida hoje?

⑥ O que eu não mudaria na minha vida hoje?

⑦ Como quero estar no futuro?

Seja sincero e observe suas respostas, pois só assim você conseguirá mudar o seu foco. E, atenção, você pode se surpreender e perceber que, de fato, nem tudo estava tão ruim quanto parecia. A boa notícia é que com isso você se dará conta de que alguns ajustes serão o suficiente para que tudo flua como deve fluir.

O caminho do realizador começa a ser traçado no momento em que se consegue perceber que desejar a mudança, sonhar, são ações absolutamente aceitáveis e planejáveis: você não precisa estar no fundo do poço ou estar passando por uma situação difícil na vida para sonhar e, mais do que isso, para realizar os seus sonhos.

Os seus sonhos são seus. Não importa quais sejam: você pode desejar ter uma casa maior, fazer uma cirurgia plástica, construir uma família, abrir um negócio, fazer uma viagem, comprar um carro, falar outro idioma, ter um emprego melhor... O seu sonho pertence à sua vida, ao que você é, e entender isso faz parte do caminho do realizador de sonhos.

CAPÍTULO 4

POR ONDE COMEÇAR?

Livrar-se

dos ladrões que impedem que você realize seus sonhos é o primeiro passo para que você consiga começar a percorrer o caminho do realizador. Para que fique bem claro quais são os elementos que devem sair da sua vida de uma vez por todas, retomo-os a seguir.

1. **Síndrome do IEJS**. Nada de continuar andando por aí achando que já sabe tudo, que é o rei da verdade. Abra os seus horizontes e dê mais ouvidos ao que os outros falam, observe as atitudes daqueles que o rodeiam e procure sempre aprender com a experiência, com os erros e com o sucesso do outro. Sinta-se com a "xícara sempre vazia" e nunca se canse de aprender.

2. **Falta de tempo**. Esse discurso de ser extremamente ocupado já saiu de moda há muitos anos. Dedique-se a identificar suas prioridades e organize-se para conseguir realizá-las, mantendo-se saudável e apto a cumprir o que é importante para você. Lembre-se de manter sempre em primeiro lugar as coisas mais importantes, o resto vem depois.

3. **Planejamento**. O segundo item já indica o que você precisa começar a fazer para que as coisas caminhem em harmonia na sua vida. Planejar-se para conseguir ter tempo e realizar tudo aquilo que se propôs a fazer, sejam as atividades do seu dia a dia, sejam os planos para serem realizados em um período mais longo.

4. **Ação**. Mais importante do que focar o planejamento é começar a agir. O planejamento é essencial para que haja um bom início, para que tudo saia como o previsto, mas planejar demais impede que você saia da estaca zero e o faz seguir planejando, idealizando, sonhando, sem de fato viver o que planeja. Portanto, planeje o início, trace as primeiras jornadas e o todo, e comece a agir. Somente com as ações é que as falhas de um planejamento vão aparecer, e só assim você consegue ajustar o que precisa ser melhorado.

5. **Confiança**. Acreditar em si mesmo já é meio caminho andado para o início da realização de seus sonhos. Deixe de acreditar no que os outros dizem sobre você. Só você sabe do que é capaz, e acreditar em si mesmo o torna confiante e pronto para encarar o mundo e todos os desafios que podem aparecer no seu percurso. O foco e a sua confiança são capazes de levá-lo à realização de sonhos que muitos pelo caminho dirão que não fazem sentido.

O PRIMEIRO PASSO: CRIE SUA HORA EXTRAORDINÁRIA

Depois de se libertar de todos os pontos que o impedem de se tornar um realizador, é preciso traçar o seu sonho e, em seguida, definir o planejamento para realizá-lo. É esse planejamento que dará início ao seu percurso de realizador.

E aqui entra uma das decisões responsáveis por revolucionar a minha vida, algo que acredito ser a chave para que qualquer pessoa realize seus sonhos, um dos compromissos mais importantes que você pode estabelecer consigo mesmo: *crie sua hora extraordinária*.

Você pode estar agora querendo me perguntar: "Mas, Lilian, que hora é essa que tem tanto poder de transformar?".

Costumo dizer que a hora extraordinária é aquela que você não troca por dinheiro, você troca pela realização do seu sonho.

Geralmente, as pessoas dedicam o fim do ano para pensar em si mesmas, nos seus projetos, nos seus sonhos, mas se esquecem de planejar como realizar tudo o que colocaram na listinha de metas.

A hora extraordinária é muito comum na rotina profissional dos brasileiros que trabalham com carteira assinada, que fazem hora extra e, em tese, recebem mais por isso. Qualquer pessoa pode criar a *hora extraordinária* para os seus sonhos; não importa se você é empresário ou empregado, funciona da mesma forma. Dedique-se mais, trabalhe mais como se fosse ganhar mais por isso, e certamente ganhará.

Você, por exemplo, já deve ter visto a seguinte situação:

Determinada pessoa (do seu convívio ou não) é capaz de viver intensamente as 24 horas do dia. Isto é, essa pessoa trabalha, faz uma atividade física, cuida da casa, cuida da sua aparência, tem uma vida social ativa, é simpática, sabe conversar sobre diversos assuntos... faz tanta coisa que parece ter um dia de 48 horas. Isso lhe causa espanto, uma pontinha de inveja e de insatisfação.

Por que isso acontece? Por que você se sente assim quando vê alguém que consegue tanto? O que essa pessoa tem que você não tem?

A resposta é: essa pessoa não tem nada de especial! Nada de diferente de você, a não ser a capacidade de separar uma hora extraordinária do seu dia, de todos os dias. Mas o que é isso, afinal?

É, simplesmente, organizar-se para separar uma hora do dia para se dedicar a si mesmo, a se cuidar, a pensar em si e a fazer algo por si. Todos nós temos uma vida corrida, uma rotina atribulada e, muitas vezes, as 24 horas nos parecem insuficientes – mesmo a heroína da situação que relatei, em alguns momentos, deve sentir que faltam horas no seu dia –, mas quando separamos uma hora extraordinária para nós mesmos tudo muda, o cenário se transforma, a rotina fica mais leve, porque passamos a ter o domínio de nós mesmos.

Permita-se separar uma hora, sessenta minutos do seu dia, para você. Escolha uma atividade que lhe dê prazer para executar durante esse tempo. Tire da gaveta, por exemplo, aquele velho desejo de fazer trabalhos manuais ou comece a atividade física que sempre acaba sendo deixada para depois, leia o livro que está largado no canto, faça aquele curso que você sempre quis.

Enfim, não importa o que você decida fazer nessa hora extraordinária, o importante é que você a torne parte do seu dia, da sua rotina. Experimente, aposto que você começará a se sentir capaz de realizar tudo o que deseja sem ter de deixar de lado as suas obrigações; é assim que eu me sinto desde que comecei a deixar essa horinha para mim, e olha que as minhas atividades mudam bastante: ora caminho, ora vou à academia, ora separo esse tempo para ler e estudar, escrever. Enfim, esse compromisso comigo mesma eu não adio nunca!

> ## Permita-se separar uma hora, sessenta minutos do seu dia, para você.

Você deve estar pensando: "Como alguém que acorda às 5 e volta às 23 horas para casa conseguiria sua hora extraordinária?". Lembra-se de que comentei sobre os ladrões de tempo? Volte ao capítulo 2 e releia como combatê-los.

Como planejar sonhos?

Costumo dizer que manter um sonho na cabeça é o mesmo que não acreditar nele; afinal, se você não visualiza o que sonha, nada vira realidade. Então, comece a colocar no papel quais são os seus sonhos.

Escreva, desenhe, use canetas coloridas. Use a sua criatividade para desenhar o seu planejamento. Tente apenas manter uma organização simbólica entre os sonhos. Crie, por exemplo, categorias como: família, profissional, relacionamento, objetos materiais e escreva essas categorias na sua folha, e, em seguida, encaixe cada sonho numa categoria. Depois disso, trace metas para realizá-los: inclua prazo e, dependendo do que for, a quantidade de dinheiro que terá de investir para fazer com que o seu sonho se realize.

No fim de tudo, coloque esse planejamento em um lugar para onde você possa sempre olhar. Basta que você olhe e consiga analisar o que está fazendo para conseguir alcançar seus objetivos e, assim, realizar seus sonhos – ver, pegar e sentir são três elementos que o aproximam deles.

Comece hoje mesmo o seu planejamento.

POR QUE É TÃO IMPORTANTE VER, PEGAR E SENTIR OS NOSSOS SONHOS?

O mecanismo de associar a nossa mente com o nosso corpo coloca em prática a inteligência cinestésica, que significa utilizar o nosso corpo com grande precisão para nos ajudar a executar metas e objetivos pessoais. Isso é bastante eficiente porque o nosso corpo é a nossa principal parte ativa, que nos leva a passar da intenção para a ação.

Corpo e mente andam em conjunto; encontrar o equilíbrio entre essas duas forças que regem o nosso movimento no Universo é um processo de autoconhecimento e, quanto mais temos consciência da nossa inteligência cinestésica, mais o nosso corpo trabalha a favor da nossa mente.

> Nosso corpo é a nossa principal parte ativa, que nos leva a passar da intenção para a ação.

Um modo simples de perceber isso é notar que, quando decidimos realizar algo, passamos, instantaneamente, a ver com mais frequência esse elemento ao nosso redor. Por exemplo, mulheres que planejam engravidar começam a ver grávidas por todos os lados; quando definimos o carro que queremos comprar, esse mesmo carro passa a estar em todos os faróis; quando decidimos uma viagem, todos começam a viajar para aquele mesmo destino, e por aí vai.

Esse movimento parece mágica, mas é só a nossa mente trabalhando com o nosso corpo.

Por esse motivo, por essa sensação mágica, que idealizar o seu sonho, fazendo com que ele se torne um elemento visível, palpável e racionalizado é tão importante para que ele se torne realidade.

Quando decidimos realizar algo, passamos, instantaneamente, a ver com mais frequência esse elemento ao nosso redor.

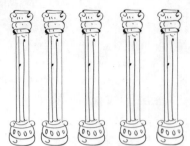

OS CINCO PILARES

O primeiro passo para que você entre no caminho do realizador e se torne um colecionador de sonhos realizados já foi dado. Você já sabe o que quer, sabe que precisa manter o foco e sabe como se livrar dos ladrões da realização; mas parece que ainda falta alguma coisa para prosseguir... É como eu disse, a vida sempre precisa de certos alinhamentos em determinados desencontros que só aparecem com a sua ação.

Certamente, ao dar início ao seu planejamento, começaram a se destacar áreas da sua vida que demandam alguns ajustes para que tudo entre em harmonia, não é mesmo? Para situá-lo melhor, costumo dividir essas áreas em *cinco pilares essenciais*; mantê-los alinhados e em total harmonia é que fará com que você se sinta plenamente feliz e realizado. Esses pilares são:

- Família
- Profissional
- Financeiro
- Saúde
- Espiritual/propósito

Esses pilares correspondem, ao menos para o meu método, à estrutura de uma vida bem-sucedida. Ou seja, todos devem estar em pé de igualdade para que tudo ocorra conforme o planejado. E quando um ou outro aparece com mais força, é sinal de que há algum ponto em determinada área da sua vida que está exigindo que sua atitude seja revista e sua atenção volte-se para ele.

A seguir, proponho um exercício que o fará entender melhor o que estou dizendo.

MAPEANDO
A SUA VIDA

Preencha o gráfico a seguir com números de 1 a 10, conforme a classificação que você atribuiu ao seu estado atual. Para isso, pinte:

- de 0 a 2 para péssimo;
- de 2,5 a 5 para ruim;
- de 5,5 a 7 para aceitável;
- de 7,5 a 8,5 para bom;
- de 9 a 10 para ótimo.

Trace um risco vermelho na horizontal na linha do 7, pois vamos incentivá-lo a buscar um próximo nível para tudo o que estiver abaixo desse número. Também vamos dar especial atenção a tudo o que estiver abaixo de 5 em sua vida.

Nosso cérebro funciona melhor quando enumeramos e escrevemos as situações. Veja os modelos a seguir.

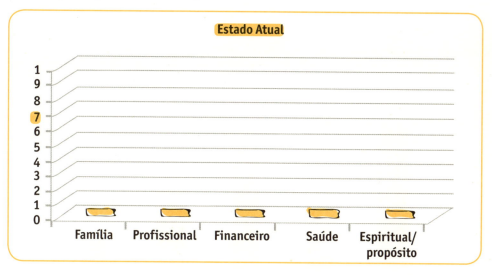

Por exemplo, quando você foca demais apenas um pilar de sua vida, provavelmente tem de abrir mão, por falta de coragem ou de tempo, de algo que o faria muito feliz, e isso, em longo prazo, acaba minando seu brilho, enfraquecendo os outros aspectos. É o que costuma acontecer com empresários muito bem-sucedidos profissional e financeiramente, mas com famílias e relacionamentos destruídos, ou executivos com carreiras brilhantes que destroem a própria saúde. Observe como seria o gráfico dessas situações:

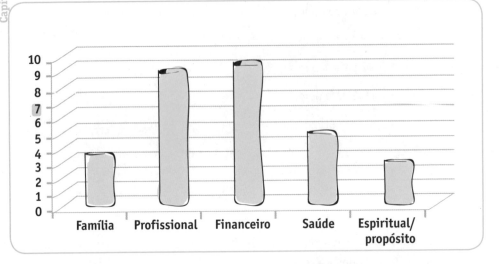

No entanto, há também o que ocorre com muitas mulheres, que são excelentes mães e esposas, mas se esquecem do seu lado profissional ou de seu desenvolvimento pessoal, às vezes até da saúde delas.

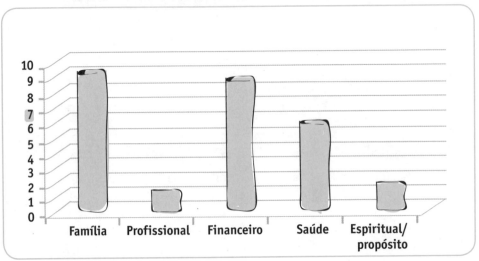

Pessoas que aparentemente conquistaram tudo, mas são infelizes por não ter um propósito, algo que realmente faça a diferença na vida delas e agregue valor à vida das outras pessoas, apresentam um gráfico desarmônico.

Desenhe o seu gráfico e procure verificar qual pilar está mais forte e qual está mais fraco. Nas próximas páginas, vamos seguir juntos para colocar tudo em harmonia e fazer com que a vida se encaixe de modo mais homogêneo e faça mais sentido dentro dos seus objetivos.

Estado atual

Família	Profissional	Financeiro	Saúde	Espiritual/propósito

Estado desejado

Família	Profissional	Financeiro	Saúde	Espiritual/propósito

AJUSTES	Família	Profissional
Financeiro	**Saúde**	**Espiritual/propósito**

O MAPA DA MINHA VIDA

O que me tirou de uma frustração e me transformou numa realizadora de sonhos foi dar atenção a esses cinco pilares da minha vida, porém, nem sempre isso foi uma tarefa consciente. Foram muitos anos saindo em busca de autoconhecimento, algumas terapias e muito diálogo comigo mesma.

E foi por meio de muitos cursos sobre comportamento humano que compreendi como era possível me tornar uma realizadora de sonhos.

Desde então, passei a entender que o segredo de tudo está no ser humano. E isso fez toda a diferença nesta minha trajetória de mais de 25 anos como empresária. Passar a ver a empresa como uma rede de pessoas, formada por seres pensantes e que, assim como eu, também têm seus sonhos e suas frustrações fez com que o percurso dos meus negócios assumisse outra imagem.

Certifico-me de investir em pessoas em primeiro lugar, pois assim acabo investindo indiretamente em minha empresa.

Nem sempre, no entanto, consegui atingir nota 10 em todos os pilares da minha vida. Com o tempo, descobri que isso é algo praticamente impossível, uma vez que, como seres humanos, temos nossas falhas e sempre haverá algo que está bom, mas poderia estar melhor.

Por isso, é importante que você entenda que encontrar o ponto de equilíbrio no mapa da sua vida, fazendo com que os cinco pilares se mantenham em harmonia, deve ser sempre o seu objetivo. O ideal é que, se ao menos não estiverem em equilíbrio, você saiba identificar qual elemento da sua vida está exigindo mais sua atenção. Só com isso, meio caminho estará percorrido, e você conseguirá atingir os seus objetivos de modo mais fácil, tranquilo e harmônico.

A seguir, continuarei com a evolução do caminho do realizador.

O MAPA DA SUA VIDA

Libere a criatividade e desenhe aqui o mapa da sua vida. Use canetas ou lápis coloridos, pense em cada pilar da sua vida e o que você visualiza dentro de cada um deles.

CAPÍTULO 5

SUA VIDA, SUAS REGRAS

Parar de dar ouvidos ao que vem de fora, à opinião dos outros, nem sempre é tarefa fácil. Por esse motivo, é preciso condicionar seu cérebro para aprender a ouvir e filtrar de modo diferente tudo aquilo que não é bom, mas que, inevitavelmente, acabamos sendo obrigados a ouvir.

Como isso acontece?

Ora, para que isso aconteça de verdade você precisa aprender a reconhecer o que é bom e o que é ruim. Afinal, nem toda crítica é negativa, nem todo elogio é sincero. Muitas vezes, acabamos fechando os olhos e tapando os ouvidos porque nosso orgulho é muito maior do que qualquer outra motivação e, aí, um sonho deixa de ser sonho e passa a ser desaforo.

Entretanto, você não precisa viver só para vencer desaforos. Você deve, sim, tornar-se um realizador de sonhos porque é capaz de fazer isso e pode alcançar tudo o que planeja.

As atitudes de um realizador de sonhos não têm nada em comum com a postura de um orgulhoso. O realizador sabe filtrar a crítica positiva e aparar as arestas que estão fora do eixo; além disso, sabe desconsiderar o elogio sem fundamento e cheio de interesses. Já o orgulhoso se isola e sente-se o dono da verdade, incapaz de enxergar outra coisa além do próprio orgulho.

Você quer ser um realizador ou um orgulhoso? Se você quiser ser um realizador, continue nesta jornada comigo.

JOGUE O
LIXO FORA

Livrar-nos do que não nos faz bem nem sempre é fácil. Muitas vezes, não conseguimos perceber que determinado comentário ou determinada pessoa nos fazem mal. Como, então, identificar o que nos faz mal?

Quando quero me livrar de algo negativo, costumo fazer um exercício simples e prático. Eu me imagino diante do meu guarda-roupa, em uma dessas limpezas grandes que costumamos promover a cada troca de estação, e me vejo separando as roupas que ainda uso das que não uso, as que servem das que não servem mais.

Nesse exercício, no entanto, no lugar do guarda-roupa vejo a minha imagem refletida num espelho e, então, começo a me lembrar de tudo o que me aconteceu nos últimos meses. Penso nas minhas atitudes, na minha evolução e, principalmente, nos pontos em que errei. E, com base nisso, procuro perceber o que é bom e o que é ruim, o que me mantém feliz e o que me faz triste, o que tem energia positiva e o que tem energia negativa. Depois de um tempo, separo tudo o que é lixo e, aos poucos, vou me livrando desse lixo, desse peso que me impede de ser quem eu sou e quem eu quero ser.

Se no momento de se livrar do lixo você não conseguir se libertar de tudo, não se culpe. O exercício é mesmo árduo, e essa libertação é um processo que ocorre aos poucos e muda conforme a sua evolução. Em alguns momentos, você se liberta de algo que, em outros, nem conseguia se imaginar sem.

Basta começar para que tudo passe a fluir melhor e, assim, o seu caminho como realizador continuará mais leve e suave.

95

UM CAMINHO QUE É SÓ SEU

O que a maioria das pessoas não sabe é que o efeito manada é péssimo.

É muito mais comum do que imaginamos nos ver contentes com aquilo que a maioria decide ser bom, ser o melhor, ser o certo. Afinal, se todo mundo está fazendo – ou dizendo que faz – na certa deve ser o melhor a fazer também. Então, lá vamos nós, saindo em disparada para fazer o que os outros fazem.

Os especialistas em economia de mercado costumam chamar esse ato de *efeito manada*; o que a maioria das pessoas não sabe é que o efeito manada é péssimo. Quando ele acontece é porque as oportunidades já acabaram, e a grande massa despertou para o que alguns visionários entenderam muito antes. É algo parecido com as paleterias mexicanas: os primeiros a investir nelas ganharam dinheiro, mas os demais, que entraram depois que a onda teve seu auge, quebraram. Hoje, na nossa alimentação, vivemos um período de amor ao ovo e ódio ao glúten e à lactose, mas nem sempre foi assim – o ovo já foi um dos maiores vilões na família brasileira.

Quando levamos esse conceito para nossa vida pessoal, o resultado também não é positivo. Afinal, quem foi que disse que se deve fazer algo só porque todo mundo faz? Quem foi que disse que o certo para os outros também é certo para você?

Hoje em dia, essa sensação de ter de viver dentro de um padrão preestabelecido está ainda mais forte, uma vez que estamos rodeados pela internet e pela vida perfeita das redes sociais o tempo todo. E, assim, passamos a idealizar uma vida que, muitas vezes, não corresponde ao nosso real sonho, ao nosso plano. E, então, como num passe de mágica, deixamos de lado o nosso sonho para sonhar o "sonho de todo mundo".

Para que isso não aconteça, é preciso estar atento e pronto para combater os ladrões de sonhos, que aparecem por todos os lados.

Como combatê-los, então?

Não há uma receita fixa e única, mas costumo me orientar pelos seguintes passos:

1. Definir meu sonho.

2. Planejar meu sonho.

3. Compartilhar meu sonho com a minha família e com as pessoas que amo.

4. Procurar alcançar o respeito dessas pessoas pelo meu sonho.

5. Focar em minhas ações para que meu sonho se realize.

6. Libertar-me do lixo que me tira da trilha de realizadora de sonhos.

7. Conquistar, apesar do que os outros dizem.

8. Definir meu próximo sonho...

Sim, é isso mesmo. Sempre tenho um sonho após o outro, mas sobre isso falaremos mais adiante.

O que posso lhe garantir é que, independentemente de usar a minha receitinha ou fazer a sua, o caminho não será fácil e, muitas vezes, você acabará ouvindo a famosa frase: "Você é louco, isso não vai dar em nada, isso não é para você!". E, então, prepare-se para atuar fazendo com o que o seu cérebro ouça: "Se fosse fácil, qualquer pessoa estaria fazendo. Eu posso, eu quero, eu consigo!". Levante a cabeça, retome o foco e continue o seu caminho de realizador de sonhos sem se preocupar com o que vem de fora.

Lembre-se: não se preocupar não quer dizer que você não deve ouvir as críticas, e sim que deve saber filtrá-las a seu favor. Do contrário, você acabaria agindo como um orgulhoso.

O problema é meu: pare de se preocupar tanto com a opinião e as expectativas alheias. Deixe de ter medo do fracasso e, principalmente, acabe com a necessidade de ter de provar algo a alguém. No fim das contas, o acerto se concentra entre você e você mesmo. E garanto que ouvir: "Mas, e se eu tivesse tentado assim?" é muito pior do que ouvir "Eu falhei, mas tentei" ou "Eu venci"!

DESCOBRINDO SEU VERDADEIRO SONHO

Para descobrir seus sonhos, você precisa parar de racionalizar; tem de se sentar, colocar uma música e começar a escrever no papel, como se tudo fosse possível.

Você se lembra de quando era criança e era capaz de fazer os caixotes de madeira virarem carros, os cabos de vassoura, espadas e as nuvens, super-heróis? Quando nos tornamos adultos, devemos agir da mesma forma com os nossos sonhos. Em se tratando de sonho, tudo é possível: sonhar não custa nada!

As coisas começam a ganhar outra forma quando o planejamento passa a ser traçado, e nesse ponto você precisa ser sincero consigo mesmo, racionalizar e verificar se será capaz de realizar os seus sonhos.

Então, devo limitar meus sonhos?

Não. De modo nenhum um sonho deve ser limitado. Ele deve, sim, ser planejado e, com isso, entrar em um cronograma de realização, no qual você deve incluir:

- Tempo que estará disposto a se dedicar para realizá-lo.
- Dinheiro que terá de juntar ou gastar para realizá-lo.
- Esforço emocional que terá de desenvolver para realizá-lo.
- Pessoas que terão de se envolver para tornar seu sonho real.

E é exatamente graças a esse cronograma que você pode, ou melhor, deve ter mais de um sonho por vez. Imagine, por exemplo, que você sonha em ter uma casa na praia, fazer uma viagem para a Disney, comprar um carro, dedicar--se mais à família, correr uma maratona e fazer uma pós-graduação. Tudo isso poderá ser realizado ao longo de sua vida, basta que você se organize e alinhe os cinco pilares que equilibram o seu ser para concretizar tudo o que sonha. É possível, acredite.

No vilarejo onde eu morei quando criança, havia muitas árvores no quintal, e eu tinha duas prediletas: a goiabeira, bem alta, em que eu conseguia subir depressa para me esconder sobre uma cobertura de zinco e escapar das palmadas do meu pai, e o meu pé de laranja-lima, com um tronco bem baixinho em formato de Y – a altura ideal para me sentar e "viajar". Sim, tinha até um buraco no tronco onde eu simulava a ignição e me imaginava atravessando o mundo. Se eu pudesse fazer uma analogia, essa cena seria aquela do ET na bicicleta, mas o meu veículo era um pouquinho diferente.

Você pode, ou melhor, deve ter mais de um sonho por vez.

Hoje, adulta, ainda me permito "viajar" e sair pelo mundo, pelo mundo dos meus sonhos. Sigo como aquela criança que não tinha limites para sonhar e para idealizar o futuro. A diferença entre a Lilian adulta e aquela pequena Lilian é que eu troquei o lugarzinho no pé de laranja-lima pelo meu carro de verdade, pois até hoje minha maneira preferida de relaxar é dirigir – quando chego na estrada, melhor ainda.

Nossa mente criativa, quando somos crianças, não tem limites. Não podemos deixar essa criança morrer dentro de nós.

OS PARÂMETROS PARA
SUA FELICIDADE

O que é ser feliz para você?

De boba essa pergunta não tem nada e quanto mais sincero você for, mais depressa você conseguirá atingir a tão sonhada felicidade.

E, assim como os ladrões de sonhos, existem os ladrões de felicidade. Na verdade, os dois tipos andam de mãos dadas, e um ajuda o outro a impedir que você se torne um realizador de sonhos e, consequentemente, uma pessoa feliz.

Para que isso não aconteça, você precisa ser sincero e saber entender o que realmente faz você feliz e permanecer bem longe do *efeito manada*: você é único e está longe de ser como todo mundo. Ainda bem!

Depois de entender como realmente é sua vida quando você se sente feliz, e conseguir alinhar os cinco pilares que o mantêm em equilíbrio, sua felicidade será alcançada.

Há quem diga que não existe felicidade absoluta. Talvez eu concorde com essa afirmação, uma vez que, como seres humanos, sempre haverá algum ponto em nossa vida que pode ser desenvolvido ou melhorado. Então, eu me pergunto: Realizar esses ajustes e identificá-los não é ser feliz?

> Ajustar as arestas da nossa vida é sempre necessário e, mais do que isso, é um exercício diário de procurar manter-se feliz.

SUA FELICIDADE SERÁ DO
TAMANHO QUE VOCÊ PERMITIR

Ajustar as arestas da nossa vida é sempre necessário e, mais do que isso, é um exercício diário de procurar manter-se feliz. É quase impossível ser feliz todos os dias, mas é bem possível ser feliz mais dias e mais vezes ao longo de um ano, por exemplo. Isso só depende de nós mesmos.

As arestas aparecerão, e ajustá-las ou não é uma decisão nossa, mas nossa felicidade está nessa decisão. Com frequência, decidir não aparar, deixar para lá algum assunto mal resolvido e aprender a esquecer é muito mais eficaz do que insistir em tentar corrigir ou mudar algo para o que, aparentemente, já se descobriu a solução: deixar ir. Entretanto, muitas vezes, o ideal é que os ajustes sejam feitos, que os passos sejam realinhados e que o ritmo volte ao fluxo normal.

Descobrir o equilíbrio entre os ajustes e o deixar ir é que fará com que a sua felicidade seja maior ou menor.

Fácil? Com certeza não é; mas é possível.

Ser feliz é uma realidade, não um sonho. Encontrá-la é o caminho dos seus sonhos. Basta que você esteja disposto, pronto e tenha coragem de percorrer o caminho para se tornar um realizador de sonhos.

Você pode.

O TAMANHO
DO SEU SONHO

No entanto, antes de se tornar um realizador de sonhos, é preciso que você entenda que o sonho não tem tamanho, não é mensurável. O que quero dizer com isso é que, além de acreditar no seu sonho, você não deve ter medo ou vergonha de verbalizar esse sonho por causa do que os outros vão pensar: se é pequeno, bobo, infantil, inatingível, impossível, coisa de louco.

Lembre-se: o sonho pertence a você e uma vez que não prejudica as pessoas ao seu redor, ele é legítimo e deve se tornar realidade, se você quiser que seja assim. Não se importe com o julgamento que possa vir de fora – esse também é um *ladrão de sonhos*.

Não importa qual o tamanho do seu sonho, desde que ele realmente faça sentido para você. Por isso, você nunca deve se comparar a ninguém; cada um tem sua história, suas dores, suas limitações... Não importa se o que você quer é assistir ao seu time do coração ser campeão – se é seu sonho, vá e faça, realize-o. Eu já tive esse sonho, queria assistir à final de um campeonato paulista e havia grandes chances do meu time ser campeão, e realmente foi.

Lembro-me de pedir a várias pessoas que me acompanhassem, incluindo meu marido (mas isso seria uma missão impossível, pois ele odeia meu time). Não consegui comprar os ingressos pela internet e eu não me conformava com essa situação, foi então que acordei num domingo e pensei: "Eu vou me arrepender a vida toda de não ter assistido a essa final do campeonato; vou colocar a culpa nos outros, ou vou tentar?". A segunda opção tem tudo a ver com minha forma de encarar as coisas, eu vou atrás do que quero, então, peguei meu carro e fui a São Paulo, estacionei-o algumas quadras antes do estádio e desci caminhando com o dinheiro do ingresso dentro do tênis.

Cheguei na frente do estádio onde as pessoas estavam indo buscar seus ingressos e comecei a perguntar se alguém queria me vender. Foi quando conheci um senhor de quase dois metros de altura que se apresentou com o nome de *Doce*. Ele me perguntou porque eu queria tanto aquele ingresso e porque eu estava ali havia tanto tempo sem desistir.

> **Eu estava tão radiante que a Globo estampou um close do meu rosto na TV.**

Eu lhe contei que meu pai era goleiro da várzea e eu sempre ia com ele às partidas de futebol, e foi ali que aprendi a gostar do jogo. Disse que minha família e meus amigos tinham me desanimado, dizendo que eu não conseguiria o ingresso, que me venderiam ingresso falso, me furtariam, enfim, tentaram todas as formas para que eu desistisse, mas que eu tinha esperança de assistir àquele jogo, era o meu sonho – falei isso com lágrimas nos olhos e muita emoção.

Ele me disse: "Linda sua história de coragem; vou fazer umas ligações, pode ser que eu demore, mas vou conseguir seu ingresso, eu garanto". Depois de quase duas horas e meia ali sentada e ainda perguntando para as pessoas sobre a venda de ingresso, eis que aparece o senhor Doce, com o meu ingresso. Dentro de duas horas a partida teria início, entreguei meu ingresso na catraca, e o sinal deu *verde*; eu tinha conseguido. Éramos apenas eu e a minha bandeira de dois metros de comprimento.

Eu parecia uma criança, pulava, dançava. Era tanta alegria que, no fim, uma surpresa: quem poderia me ver ali, naquela alegria, vibrando, chorando de emoção, a não ser a câmera da Rede Globo? Pois é, acho que eu estava tão radiante que a Globo estampou um close do meu rosto na TV, e as pessoas começaram a me ligar dizendo:

 VOCÊ CONSEGUIU? ESTOU VENDO VOCÊ NA GLOBO!

Sim... *eu havia conseguido.*

Apesar de todas as evidências contrárias, eu venci a barreira do comodismo, do *e se*, do *não vai dar*, do *ninguém consegue*, do *isso não é para você*, do *aquele ambiente não é para uma dama*. Realizei meu sonho, tenho história para contar para meu neto, Dudu, e para os que virão.

No dia seguinte, os funcionários da empresa vieram felizes me dizer que tinham me visto na TV e me deram parabéns por estar lá. O que mais chocava e intrigava as pessoas, no entanto, era o fato de eu ter ido sozinha, decidido sozinha e realizado por mim mesma.

E é esse o sabor que quero que você sinta, sabor de realizar, de concretizar algo que faça sentido para você, por menor que seja, mas que seja tão mágico, que o emocione sempre que se lembrar, como eu estou emocionada agora enquanto lhe conto essa história.

Busque o seu sonho, seja ele gigantesco ou tão simples quanto uma ida a uma final de campeonato de futebol. Viva o seu sonho e deguste o sabor de ser você mesmo o realizador.

104

Um sonho de criança para realizar

Quero propor um desafio para que você realize algum sonho que está na sua cabeça desde criança. Algo que seja simples, realizável em até uma semana, mas que você sempre adiou por acreditar que haveria outro momento mais oportuno para isso.

Pense nesse sonho e coloque em prática imediatamente. Daqui uma semana volte aqui e registre suas experiências.

Qual sonho você realizou?

Quando realizou?

Como foi essa experiência?

CAPÍTULO 6

A IDEALIZAÇÃO DOS SONHOS

Não basta que você defina seus sonhos se depois disso nada fizer com eles. Desse modo, eles continuarão sendo apenas sonhos, e você continuará sendo quem você era antes mesmo de sonhá-los. Então, nada do que fizemos até aqui terá valido a pena.

Para que isso não aconteça, é necessário que passemos à idealização dos sonhos. Afinal, o que significa idealizar um sonho?

DA IMAGINAÇÃO À IDEALIZAÇÃO

No que diz respeito à imaginação, os sonhos não costumam impor limites aos nossos pensamentos. Por isso, liberte-se, aventure-se nos caminhos mais longos e naqueles que talvez nunca tenha pensado em percorrer. Permita-se acreditar em você e no que você é capaz. Seus sonhos são condicionados à sua vontade e, mais do que isso, à sua capacidade de imaginar. Você é livre.

Não existem negativas para a imaginação. E você deve usar isso a seu favor.

Com papel e caneta nas mãos, liste, sem medo ou vergonha, todas as ideias que vierem à sua cabeça. Considere tudo o que gostaria de fazer e coloque nessa lista. Não importa o tamanho que ela fique, o importante é que você escreva as suas ideias.

Depois disso, leia essa lista e faça uma seleção sincera daquilo que gostaria mesmo, de verdade, de realizar. Essas ideias, então, vão se transformar em sonhos.

E esses sonhos ganharão mais poder se você passar a idealizá-los. Concentrar-se em imaginá-los, em listá-los, é fazer com que seu cérebro trabalhe neles junto com você. E, como num passe de mágica, o Universo começa a receber esses sinais, tudo parece estar relacionado ao que você idealiza.

A melhor alternativa é pensar no que você quer que aconteça, e nunca – atenção, *nunca* – no que você não quer; em Física Quântica isso se chama *segredo*. Todos os dias, imagine-se desfrutando dos seus sonhos, direcionando o pensamento às coisas boas que realizará.

Certamente, você já passou por situações em que pensou em algo e, momentos depois, viu alguma coisa relacionada àquilo. Muita gente dá a esse fenômeno o nome de coincidência, mas, cientificamente falando, o nome disso é sincronicidade.

E, segundo Carl Gustav Jung, a sincronicidade ocorre quando dois ou mais eventos coincidem de maneira significativa para alguém. Logo, a mágica do Universo em direcionar elementos relacionados aos nossos sonhos idealizados nada mais é do que um evento sincrônico entre o nosso pensamento e o mundo ao nosso redor.

> **A melhor alternativa é pensar no que você quer que aconteça, e nunca – atenção, *nunca* – no que você não quer.**

O meu bar de cordas

Estava com meu marido em Las Vegas, e quem conhece esse lugar sabe que entrar e sair de cassinos faz parte do passeio; cada hotel se preocupa em fazer coisas mais lindas e mais atrativas que o outro, como forma de estimular os clientes a gastar em seus cassinos. Estávamos passando por um deles na Strip, e me deparei com um bar todo decorado com cordas. Elas saíam do teto, formavam um enorme lustre e se juntavam no centro do bar. Eu fiquei alucinada. Fiz meu marido voltar, fotografar, filmar, eu me sentei na frente do bar e fiquei imaginando que um dia faria um bar como aquele. Lembro-me de que meu marido chegou a tirar um sarrinho, do tipo, "Para que você precisa de um bar desse tamanho? Já tem todas as bebidas que quiser lá nas empresas".

Eu fiquei encantada com tanta beleza e com a genialidade de quem projetou aquilo!

Guardo comigo aquela imagem até hoje: ali, a criatividade não tinha limites, era lindo de ver, dava vontade de entrar só para entender melhor o que era. E a surpresa estava em descobrir que era um bar. Essa sensação de surpresa ficou na minha cabeça: quero que as pessoas "descubram um bar e tenham curiosidade de entender o que ele é".

Voltamos para o Brasil, e nas minhas lembranças de viagem, lá estava o "bar de cordas". Quando chegamos, recebemos a notícia de que a proprietária do prédio onde ficava uma das nossas lojas estava pedindo o imóvel. Aquela notícia foi um choque, caiu como um desafio para nós: o que faríamos dali em diante? Pois, na zona sul de Sorocaba, é muito difícil encontrar imóveis, ainda mais quando se tem pressa: seria impossível conseguir um imóvel rapidamente. Era o fim da loja.

Era?

Não. Apesar de ter sido um baque, uma notícia que nos abalou profundamente, nunca passou pela nossa cabeça que não daríamos

a volta por cima, encontraríamos um novo lugar e reposicionaríamos a loja. Foi um trabalho e tanto, e você já deve estar curioso para saber a solução.

Não importa o que acontece com você, mas como se posiciona diante do que lhe acontece. Por isso, utilizo a regra do 5/95, ou seja: cinco por cento do seu dia é composto de fatos que não dependem de você fazer algo para eles mudarem, eles simplesmente acontecem; porém, os outros noventa e cinco por cento dependem de como você vai se organizar diante do que ocorreu, que ações vai tomar, quanto tempo vai perder chorando ou reclamando pela falta de sorte, ou como vai reagir e fazer todo o possível para reverter os resultados.

Minha postura foi reagir, ir atrás da solução.

Procurei alguns pontos por algumas semanas, até que optamos por um excelente espaço na área de serviços do Shopping Iguatemi de Sorocaba, e, em 7 de julho de 2017, nós inauguramos nossa loja dentro do shopping.

Bom, você já deve ter associado o bar de cordas a esse contratempo, não?

Se não, é hora de visualizar como aquela imagem e as sensações que não saíam da minha cabeça desde a minha viagem ganharam ainda mais força. O bar de cordas, o meu bar de cordas, foi inaugurado como um ponto de degustação dentro da loja, exatamente quatro meses depois do dia em que eu idealizei aquele sonho.

Não pense que as coisas foram fáceis; minha filha (que, na época, estava grávida), meu filho, meu genro, meu marido e eu, todos nos unimos para resolver o problema daquela mudança, que era realmente necessária – mas executar meu sonho, "o bar de cordas", fez parte do pacote. Minha família comprou meu sonho, e consegui incluir todos eles nessa conquista, tornando-a uma coisa nossa.

111
Não importa o que acontece com você, mas como se posiciona diante do que lhe acontece.

Imagine que quem passa do lado de fora da loja quer ver de perto o que são aquelas cordas saindo do teto... isso atrai muitos clientes. Eu consegui levar até eles tudo o que senti quando vi aquele modelo de bar pela primeira vez, em Las Vegas. Todos ficam fascinados por aquela estrutura de cordas e, movidos pela curiosidade, entram na loja e se deparam com nossos produtos: é realmente um sonho diário que realizo e compartilho com os clientes da loja.

Você já passou por algo assim? Conte a sua história, mesmo que seja só para você.

A idealização é um passo para a transformação dos sonhos em realidade, em um evento que esteja condicionado à nossa existência e, por isso, é um passo fundamental para que se chegue à mentalização dos sonhos.

Essa fase pode ser comparada ao início de um relacionamento: você e seu sonho ainda estão se conhecendo, podem se encantar um com o outro, é o tempo de se permitir analisar os pontos que precisam ser revistos e os que demandam mais energia.

Começar a idealização é importante para que o seu sonho seja internalizado e, cada vez mais, torne-se sua propriedade, parte da sua vida. Concentre suas energias nessa fase da realização dos seus sonhos e comece a observar as "mágicas do Universo", pois isso fará com que você passe a acreditar no seu sonho já realizado, vivo dentro de você.

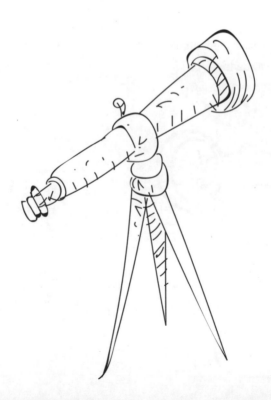

Concentre suas energias nessa fase da realização dos seus sonhos e comece a observar as "mágicas do Universo"

114

Idealizando meus sonhos

Vamos começar a dar mais visibilidade a tudo o que está em seu coração e que muitas vezes você deixou escondido. Sem medo de julgamento, sem urgência, liste tudo o que gostaria de realizar.

_____

_____

_____

_____

_____

_____

_____

_____

_____

Agora, o que _realmente_ gostaria de fazer, o que o deixaria mais feliz? Qual o desejo a ser realizado? Como ele é detalhadamente? (_Como me sinto nesse lugar, quais as cores predominantes nele, qual é a rotina etc._)

_____

_____

_____

_____

_____

_____

_____

_____

CAPÍTULO 7

APROPRIE-SE DOS SEUS SONHOS

Não basta ter um sonho, planejá-lo, se você não se sentir dono desse sonho.

Afinal, o que isso quer dizer?

Quer dizer que para que sonho seja transformado em realidade, você precisa de fato acreditar nele, torná-lo parte da sua vida e da sua rotina. E não é simplesmente dizer da boca para fora que você sonha determinada coisa ou sonha mudar algo.

Um sonho precisa "sentir-se seu" para ganhar o mundo. Você precisa ter domínio sobre o sonho para que ele siga trabalhando para você e, mais do que isso, siga o curso da sua vida para chegar à realização.

Somente ao apropriar-se de seu sonho é que os ladrões de tempo, de sonhos e de energia, de fato, passam a não fazer barulho em sua vida. Quando você tem domínio sobre algo, dificilmente alguém consegue tirá-lo da rota, da sua razão. E é assim também que acontece com os seus sonhos.

MENTALIZE

Ao mentalizar o seu sonho, sentindo-se proprietário dele, você passa a destinar energia e concentração necessárias para que ele seja realizado. Lembra-se do que mencionei sobre idealizar um sonho e passar a vê-lo em tudo quanto é lugar?

Acredite nos seus sonhos, mentalize a realização deles e caminhe para alcançá-los.

Com a mentalização de um sonho acontece o mesmo, porém dessa vez essa aparição passa a fazer parte de você. Você passa a acreditar em seu sonho de tal modo que todos os que estão ao seu redor ou passam a acreditar junto com você ou, simplesmente, sabem o que você está fazendo e, em geral, deixam de atrapalhar. E é aí que os ladrões de sonhos e de energia se tornam verdadeiramente combatidos.

Insisto tanto neste método porque, por meio dele, passei a ser uma realizadora de sonhos, e isso me fortaleceu para enfrentar os desafios que surgem.

Acredite nos seus sonhos, mentalize a realização deles e caminhe para alcançá-los. Quando você faz isso, o seu sonho se transforma em meta, em objetivo. Você passa a direcionar tudo aquilo o que planejou para conseguir, de fato, alcançá-lo. Ele simplesmente passa a fazer parte da sua rotina, e concretizá-lo se torna uma questão de tempo.

Atualmente, muito se fala sobre a síndrome do impostor. Se você fizer parte do meio *business*, certamente já ouviu falar no assunto. Significa não se considerar verdadeiramente merecedor de suas conquistas, acreditar que, no fundo, você "não é tão bom assim", como se tudo aquilo o que construiu e realizou fosse mero feito da sorte. A síndrome do impostor é terrível; quando nos deixamos contagiar por ela, duvidamos de nossas competências, duvidamos que seremos capazes de *chegar lá* e, mais do que isso, de *nos mantermos* lá. Você já se sentiu assim?

Vamos fazer uma reflexão rápida:

- Quantas vezes você questionou se era capaz de alcançar um resultado qualquer? Quantas vezes você desistiu de um sonho, antes mesmo de tentar, por acreditar que "era demais para você", que não deveria ficar sonhando tão alto assim?

- Quantas vezes você pensou que as pessoas ao seu redor estavam superestimando suas qualidades, por não se sentir digno delas?

- Como você lida com elogios? Agradece e toma-os para si, ou tenta disfarçar com respostas do tipo: "Ah, isso não foi nada demais"; "Eu tive sorte"; "Não sou tudo isso"; "São seus olhos"? Por que, afinal, são os olhos do outro e não os nossos próprios? Por que rejeitamos a nossa essência e o nosso melhor lado?

Eu sei, é duro, mas estamos o tempo todo fazendo isso conosco, diminuindo o nosso valor e o nosso potencial diante do mundo. É por isso que mentalizar e sentir-se dono dos seus sonhos, seus projetos e seu crescimento é tão importante, pois esse é o caminho para não cair no fluxo da autossabotagem.

A autossabotagem também se disfarça como falta de sorte, de oportunidade, de tempo, de dinheiro, enfim. Nossas maiores desculpas deveriam ser nossos melhores motivos para mudar.

Muito se fala em empoderamento, essa virou uma palavra recorrente, principalmente no ambiente feminino, mas eu vou além: todos nós precisamos trabalhar nosso merecimento. Quando nos sentimos merecedores, coisas maravilhosas acontecem na nossa vida.

Isto é, diferentemente do que muitos pensam, empoderar-se não significa necessariamente ter de passar a realizar coisas que façam você ser mais forte, mais mulher, e deixar de fazer outras que para a sociedade tornam a mulher menos poderosa. Empoderar-se, para mim, é assumir o seu poder, o controle da sua vida e sentir-se merecedora de tudo de bom que acontece consigo. Ser mãe, empresária, esposa, diretora, coaching, amiga, filha, líder me faz ser merecedora de tudo o que recebo do Universo, sinto-me empoderada por ser quem sou.

Empodere-se assim também: ame-se e sinta-se merecedor. Vire essa chave e acredite no seu poder.

É uma permissão que nosso inconsciente dá ao Universo para recebermos tudo o que for possível, e quer saber como acontece a mágica? Isso ocorre quando você vira a chave, quando passa a acreditar que é possível, quando começa a se posicionar e a fazer as coisas como se tudo o que deseja estivesse prestes a acontecer.

Mentalize os seus sonhos

Escolha ao menos três sonhos da lista anterior que você gostaria de realizar e passe a mentalizá-los. Minha sugestão é que você comece com três, mas depois vá aumentando esse número até chegar a todos os sonhos da sua lista.

Exercite a mentalização até perceber que se sente proprietário de seu sonho. Depois disso, estarei certa que a mentalização passará a fazer parte da sua rotina, e você continuará mentalizando seus sonhos e acreditando neles.

No caso dos sonhos, a mentalização faz esse papel. Você deve mentalizar o seu sonho, vivendo como se ele fosse uma realidade. Por exemplo, se o seu sonho é viajar para a Europa, mentalize como seria essa viagem, a ida de avião, os passeios por lá, como passaria os dias em cada uma das cidades que planeja visitar, mentalize se estará frio ou calor, se terá dias de chuva. Enfim, viva a sua viagem antes mesmo de viajar. Isso faz com que a sua mente reserve uma parte da energia para que esse sonho seja realizado do modo como você quis e, mais do que isso, não o deixa esquecer de que você tem um compromisso com ela para conseguir concretizar esse sonho.

Para a sua mente, realizar esse sonho passará a ser uma questão de honra, então trate de mentalizar e concentrar as suas energias para que seu sonho se realize.

Continue colocando cores, sensações, cheiros e imagine, sobretudo, como seria a reação das pessoas ao seu redor ao vê-lo realizando um sonho. Imagine o seu sucesso, os aplausos, a glória. Você será capaz de sentir esse gostinho e, gostando dele, lutará para que se torne realidade o mais depressa que puder.

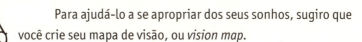

Para ajudá-lo a se apropriar dos seus sonhos, sugiro que você crie seu mapa de visão, ou *vision map*.

Use este espaço para desenhar tudo o que gostaria de realizar; se não souber desenhar, recorte imagens de revistas e cole figuras que lembrem as coisas que gostaria de realizar – eu faço isso com tudo o que quero realizar.

No entanto, não adianta desenhar e deixar aqui fechado. Destaque esta página ou tire uma foto dela e olhe para a página ao acordar e ao dormir.

Também não basta só olhar, é preciso se sentir dentro dessa imagem, como tudo que já mencionamos na página anterior (cores, cheiro, clima etc.).

Faça isso todos os dias, até conseguir.

CAPÍTULO 8

PLANEJE OS PRÓXIMOS PASSOS

Tudo seria lindamente maravilhoso se saísse do jeitinho como planejamos, não é mesmo? Concordo com você. A vida seria muito mais fácil se tudo acontecesse do jeito que desenhei.

Seria. Talvez, mas acredito também que perderia um pouco da graça, o inesperado e a surpresa podem trazer coisas boas se soubermos analisá-los e vivê-los.

Mesmo sabendo que a vida nunca sai conforme o plano, deixar de fazer um planejamento é arriscado, é quase como dar um tiro no pé. Afinal, quando ocorrem surpresas dentro daquilo que estava planejado, basta que vejamos qual seria o próximo passo para repensar o que faremos.

Também temos de contar com a possibilidade de que, conforme o sonho que queremos realizar, ele não depende só de nós. E aí, como fica?

Sempre que algo não dá certo, encaro como uma oportunidade para aprender alguma lição. Há coisas que nós só aprendemos com o tempo, outras com a esperança, outras com dinheiro. Entretanto, no fim das contas, sempre aprendemos o que devemos fazer e o que não devemos fazer.

E nesse caso também não há uma regra: uns aprendem com o mínimo de investimento, outros acabam tendo de pagar um preço muito mais alto, e outros ainda acabam nem percebendo o que está acontecendo. Tudo isso vai depender muito da sua dedicação para mudar (e querer mudar) de fase.

Já tive muitas decepções e pude aprender que elas estão mais relaciona-das às crenças e às expectativas que coloco nas pessoas do que com as pessoas em si. Uns chamam isso de ingenuidade, eu prefiro encarar como uma crença exagerada no ser humano.

As pessoas que não se permitem sonhar, geralmente, justificam esse ex-cesso de racionalidade por terem se decepcionado muito. A vida parece ter sido cruel e injusta demais com elas em determinado momento – e pode até ser que tenha sido mesmo. No entanto, ao se bloquear para os sonhos, elas não perce-bem que estão mais uma vez se punindo, autocastigando-se por tudo aquilo de ruim que um dia já lhes aconteceu. Permitir-se sonhar é deixar de ser coadjuvan-te para se tornar o personagem principal da sua vida.

Já passamos por bastantes coisas até aqui. Espero que seus sonhos este-jam mentalizados, incorporados em seu ser, e que você já esteja preparado para responder à tão difícil questão: "Ok, mas e agora?".

DESENHE OS
SEUS PASSOS

Imagine que os seus sonhos são como uma empresa. A sua empresa. A empresa da sua vida. E, portanto, para que tudo corra bem e a empre-sa não acabe falindo, você deve saber planejar cada detalhe. Saber exatamente o que será feito em cada período e quanto deverá ser investido nisso.

Então, não basta que você defina os seus sonhos, acredi-te neles e idealize cada um deles; se não houver um planejamento, não haverá nada, e o sonho continuará no plano das ideias. Para isso, pegue seus sonhos e organize-os em sua mente, depois, com papel e caneta, categorize cada um.

- Divida seu planejamento em grandes setores da sua vida: família, rela-cionamento, propósito, trabalho, consumo, viagens, saúde, projetos, *hobbies*.

No planejamento você começa a perceber se um sonho é realmente um sonho ou se é somente um desejo.

- Pegue o desenho proposto no capítulo anterior e, se quiser, complemente-o.

- Trabalhe com a realidade: estabeleça prazos, gastos, investimentos, dedicação, disposição.

É importante que você seja sincero e trabalhe com a sua realidade ao começar um planejamento. Lembre-se das suas reavaliações, de tudo o que teve de ser replanejado anteriormente, e, mais do que isso, tente responder a uma única pergunta: "Por que eu ainda não realizei esses sonhos?".

A resposta a essa questão norteará o seu planejamento. Você terá de verificar se precisará mudar a alimentação, começar a fazer exercícios físicos, contar com o apoio de alguém, ganhar mais dinheiro. Enfim, essa é a fase de examinar a viabilidade de seu sonho e qual o tempo necessário para isso.

É muito importante que você dedique bastante tempo e concentração para a realização dessa fase, pois um planejamento bem pensado evita surpresas desagradáveis e até frustrações pelo caminho.

Em geral, no planejamento você começa a perceber se um sonho é realmente um sonho ou se é somente um desejo. Nessa fase, o sonho começa a tomar forma, e se essa forma não nos convence, é sinal de que não é a hora de pensar nisso ou de que fomos influenciados por alguém, e esse sonho não nos diz respeito.

PLANO DE AÇÃO

Comece a planejar os seus sonhos. Você pode usar a tabela a seguir como inspiração. Defina o sonho, em qual pilar da sua vida ele se encaixa, em quanto tempo deseja realizá-lo, quais são os investimentos necessários (podem ser financeiros ou tempo a ser dedicado, por exemplo), qual é o primeiro passo que você pode dar no menor tempo possível para realizá-lo (quem sabe, algo que pode fazer hoje mesmo) e, por fim, quais são os compromissos – os próximos passos ou próximas entregáveis para que este projeto se torne uma realidade.

Sonho	Pilar da minha vida	Prazo para realização
Investimentos necessários	Primeiro passo para tirá-lo do papel	Compromissos para a realização

Um dos sonhos alcançados recentemente de que mais me orgulho não dependia completamente de mim, mas foi tão forte e tão intenso, que não tenho dúvida de que o Universo conspira a nosso favor quando estamos prontos para sermos realizadores.

Eu fazia parte de um grupo de palestrantes ao qual foi proposto um concurso para palestrar no Japão. Naquele dia, algo bateu forte dentro de mim, e, por incrível que pareça, o que me chamava a atenção não era o fato de conhecer o Japão, mas as circunstâncias que foram propostas com aquela oportunidade: quem ganhasse aquele concurso palestraria para brasileiros descendentes de japoneses que foram para o Japão a fim de realizar o sonho de melhorar de vida (decasséguis), e lá, muitas vezes, acabavam trabalhando em fábricas, sem perspectivas de empreender. Senti em meu coração que eu teria uma palavra de incentivo para dar àquelas pessoas.

A *idealização* surgiu ali, dentro do grupo de palestras; porém, naquele salão certamente havia mais de 700 pessoas, e uma voz dentro de mim quis sabotar a minha ideia dizendo: "Você acha mesmo que vai conseguir no meio de tanta gente?".

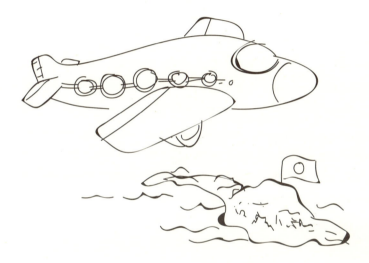

Então, veio-me à lembrança o que devemos fazer com esses ladrões de sonhos: agradecer a intenção positiva e mandá-los calar a boca, mesmo quando esse ladrão seja a voz dentro de nós mesmos.

Eu saí daquele lugar disposta a conquistar aquela vaga. Imediatamente, ao chegar em casa, desenhei meu mapa da visão e escrevi "JAPÃO EU VOU" e fui dormir *mentalizando* aquilo. Esse concurso se iniciou em 2016, e desse dia em diante passei a perguntar a amigos e colegas de origem asiática se eles tinham parentes no Japão: comecei a catalogar as dificuldades e a prosperidade de todas as pessoas que viviam lá.

No meu *planejamento* esse sonho se dividia em dois pilares: profissional, pois eu seria considerada uma palestrante internacional, e espiritual, pois a minha ida para lá tinha um propósito, já que eu, verdadeiramente, queria fazer a diferença na vida daquelas pessoas.

Desenhei todo o passo a passo, todas as ações propostas no concurso e toda a preparação que eu deveria realizar.

Passei por diversas etapas classificatórias, até que, em meados de 2017, eu estava entre os três finalistas. Fizemos uma entrevista por Skype com o pessoal do Japão, e eu era a única mulher. Depois dessa entrevista, ficamos algum tempo sem resposta – confesso que cheguei a pensar que não aconteceria, eu tinha me preparado, tinha acreditado, mas a partir dali não dependia mais de mim, parecia que havia algo meio turbulento que eu não conseguia entender.

Eis que em agosto daquele ano, quase um ano e meio depois do início do concurso, meu telefone tocou, e fui informada que eu deveria embarcar dali a vinte dias. Confesso que quase surtei de tanta alegria. Eu tinha conseguido!

Todos os dias, durante todo aquele período, mentalizei meu mapa de visão, e sempre que eu chegava na parte do Japão me dava um aperto no peito, pois aquele sonho não dependia só de mim, então eu pensava: "O Universo sabe qual é meu propósito com aquelas pessoas, eu vou confiar".

Eu consegui.

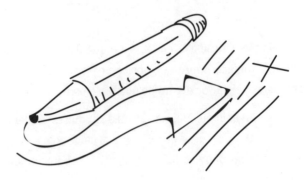

E quando tudo foge do planejado?

Em geral, antes de nos tornar realizadores de sonhos, quando nos deparamos com a possibilidade do fracasso ou de nada sair como planejado, nossa primeira reação é negar um sonho, matando-o antes mesmo que ele ganhe vida. É nosso mecanismo de defesa agindo no modo automático, respeitando a programação na qual veio trabalhando ao longo do tempo.

No entanto, essa não deve ser a atitude do realizador.

Ao contrário daquele que se acomoda, o realizador não se sente acuado diante de novos rumos, de novas possibilidades. Ele aprende, com o tempo, a se reprogramar e a retrabalhar o seu planejamento para que o sonho se transforme e se adapte àquilo que o Universo reprogramou para que acontecesse.

Imagine, por exemplo, o que eu teria feito caso minha viagem ao Japão não tivesse dado certo? Era uma possibilidade, afinal, tratava-se de um sonho que não dependia exclusivamente de mim.

O que será que eu teria feito?

Nem eu tenho essa resposta, e não sei como teria reagido nesse caso.

Esse sonho eu realizei, mas já passei por outros que acabaram se transformando, mudando de figura. Um deles me marcou muito, e já até citei-o aqui neste livro: minha decisão de passar em um concurso público para ser juíza. Era um sonho audacioso, mas não impossível.

Eu me programei, planejei, dediquei-me, abri mão de inúmeras coisas. Mudei praticamente toda a rotina de minha família, e a minha também. Trilhei um caminho e o percorria com certa tranquilidade: estava indo bem nas provas, e tudo indicava que era só uma questão de tempo para que eu finalmente conseguisse chegar lá.

O tempo, no entanto, acabou me surpreendendo. Entre uma prova e outra, um acontecimento mudou o curso de tudo. Sabe quando as coisas parecem

132

estar maravilhosas e, de repente, vem uma tempestade e faz a maior bagunça? Foi mais ou menos isso: um acontecimento gravíssimo acabou levando a empresa que construí ao lado do meu marido a uma crise assustadora.

Era hora de voltar: a minha família precisava de mim, do meu apoio. Voltei, sem pensar duas vezes, deixei de lado uma prova do concurso em Recife para voltar a Sorocaba. Eu voltei e, me restabeleci, ajudei a minha família a reorganizar a vida e a recuperar a saúde da nossa empresa.

Ao mesmo tempo que foi um momento de dor, foi também nessa época que mais nos unimos e mais nos fortalecemos, descobrimos diversos amigos e anjos da guarda na nossa vida.

Eu tive a chance de voltar, de reescrever o meu sonho. É claro que não percebi a mensagem logo de cara, mas com o passar dos dias, eu me reencontrei: não havia perdido tempo com tudo que fiz para passar no concurso, eu tinha de viver tudo aquilo. E vivi quanto tive de viver para me redescobrir e levantar a alma de empresária da Lilian.

Para resumir a história, os muitos amigos e colegas advogados que fiz na faculdade e no tempo de cursinho me ajudaram a resolver os problemas jurídicos. Meu verdadeiro anjo foi Érica, uma amiga a quem serei eternamente grata. Dia após dia, consegui retomar meu lado empresarial, e foi nesse momento que ampliei a loja; além das bebidas, passamos a vender presentes, e, meses depois, incluímos móveis. Conclusão: a minha volta e a minha ideia de ampliar o leque de atuação da loja colaboraram para que a empresa superasse as dificuldades e ampliasse o número de lojas, incluindo na internet.

Milagre? Sorte?

Não. Reorganização, resiliência, flexibilidade. Mudança de sonhos.

Disciplina, confiança e foco. Essa trilogia é que nos fortalece para o que quer que pretendemos realizar.

O Universo nos mostra tudo, basta que estejamos dispostos a perceber e preparados para nos readaptar quando for preciso. Adoro a frase que diz: "Mar calmo não faz bom marinheiro.". Fazemos a nossa parte dando o melhor de nós, e esperamos o momento certo de tudo fluir do modo como idealizamos. Foi assim comigo, pode ser assim com você. Esteja atento.

CAPÍTULO 9

COLOQUE O PLANO EM PRÁTICA

CHEGA DE LENGA-LENGA!

Falamos, falamos, falamos, e agora chegou a hora de colocar a mão na massa. Todas as etapas anteriores são extremamente importantes, mas de nada adiantarão se você não agir, não colocar o seu plano em prática.

Pude viver isso na pele quando me propus a fazer o Caminho de Santiago de Compostela. Esse foi um dos sonhos mais rápidos da minha vida. Quase não teve planejamento, e, quando me vi, já estava em Santiago.

O lado bom disso? Consegui realizar esse sonho.

No entanto, depois, quando voltei e compartilhei minha experiência, pude perceber que esse é um sonho comum a diversas pessoas. Elas passam anos e anos da vida delas estudando, analisando, pensando e repensando o que farão e acabam não fazendo nada.

Isso me pôs a pensar: "Afinal, o que leva as pessoas a não realizar seus sonhos?".

Minhas pesquisas acabaram resultando neste livro, ou melhor, no meu método. Pude compreender, com o passar do tempo e com as trocas de experiências, que boa parte dos motivos que impedem as pessoas de realizar os sonhos está ligada às ações – ou à falta delas.

As pessoas sonham. Todos nós sonhamos. Temos necessidade de sonhar, afinal, é como se os sonhos fossem nossa válvula de escape da realidade quando esta não nos está fazendo bem.

Ora, se todos nós sonhamos, por que, então, só alguns realizam seus sonhos? O que diferencia os realizadores dos não realizadores?

E a resposta, mais uma vez, veio da ação. Contudo, dessa vez um pouco diferente, porque descobri que as pessoas que não realizam sonhos também executam ações, mas não necessariamente eficazes. Essas são as ações não calculadas, sem planejamento, e que, exatamente por isso, acabam sendo influenciadas pelos ladrões de sonhos. Por não saberem muito bem o que estão fazendo, aqueles que não realizam seus sonhos acabam dando ouvidos ao que os outros dizem ser melhor, ser mais adequado, e aí não há sonho que se realize.

Quando falamos em capítulos anteriores sobre a plasticidade neural, precisamos ter em mente que criar novos caminhos não significa permanecer neles.

Por exemplo, você já se deu conta de que quando você gosta de fazer um caminho ou o faz frequentemente – como o caminho até o trabalho, a casa dos pais, a padaria favorita etc. –, seu inconsciente realiza esse trajeto quase instantaneamente? Você não precisa pensar nas ruas em que deve entrar, seu corpo simplesmente o leva até lá. Isso ajuda em muitos momentos, mas também faz com que percamos a oportunidade de reparar na paisagem daquele trajeto, de descobrir o que tem em seu entorno; muitas vezes, por manter a rota, deixamos de aprender caminhos até mais rápidos para chegar ao mesmo destino.

Para que qualquer coisa se torne um hábito, temos de prestar atenção, precisamos forçar, mesmo que doa. Já interrompeu a academia por um tempo, por exemplo? Não é horrível quando você volta? O mesmo acontece quando ficamos tanto tempo no automático, nas desculpas – é como se tivéssemos desaprendido a realizar.

É preciso reprogramar nossa consciência, pois só assim faremos com que nosso inconsciente saia do piloto automático e poderemos incorporar novas realizações à nossa rotina.

Quando nos impomos uma disciplina, é preciso persistência para manter o foco, e aqui eu quero propor o seguinte desafio: realize seu primeiro sonho em até 30 dias.

Estamos chegando à reta final da leitura, e agora é a hora de se mexer; por isso, baseando-me em todos os exercícios e nas reflexões que fizemos ao longo do livro, organizei um plano de ação completo para que, nas próximas quatro semanas, você use a sua hora extraordinária para realizar algo que o fará mais feliz, assumindo o protagonismo dos seus projetos e tornando-se um realizador extraordinário.

Você pode consultá-lo a partir da página 160.

APRENDA A AGIR

As ações que direcionam os realizadores são calculadas, direcionadas, têm um propósito; por isso, as etapas anteriores são tão importantes para que você se torne um realizador de sonhos. No caso do Caminho de Santiago, por exemplo, tudo começou, na verdade, quando fiz minha cirurgia de hérnia no umbigo: o médico que me atendeu tinha um astral maravilhoso e me disse que havia acabado de chegar de Santiago. Na mesma hora, senti vontade de percorrer esse caminho. E comecei a idealizá-lo.

Como já sabemos, quando idealizamos algo, o Universo começa a conspirar a favor e tudo vai apontando para isso. Depois de um tempo, por acaso, cheguei à Associação dos Caminheiros de Santiago, informei-me e saí de lá decidida – e acredite, no mesmo dia consegui uma passagem barata com milhas do cartão para dali a um mês.

Era março, e o pessoal da associação havia me dito que essa não era a melhor época para encarar os 120 quilômetros necessários para cumprir uma das etapas. Sem entender o que diziam (para mim, realmente não fazia sentido dizerem que o caminho estava fechado), encarei o desafio e, sem muito planejamento, embarquei nessa aventura.

Só quando já estava lá é que fui entender o que era "estar fechado". Eu tinha de percorrer alguns quilômetros a mais porque não havia lugar para dormir nos pontos costumeiros, pois estavam fechados. Conclusão: acabei andando mais, fiquei bastante tempo sozinha na caminhada.

Tive muito medo, o silêncio me atormentava, e qualquer ruído me assustava. Para me fazer companhia, usei um gravador para relatar as minhas experiências. Passei por muitos perrengues, tive de aprender a fazer xixi no mato, quase caí muitas vezes, o que me fazia pensar nos piores cenários (cair e ninguém me encontrar, por exemplo); então, abstraía esses pensamentos e buscava a motivação para cumprir o meu objetivo: terminar o caminho quanto antes e chegar à missa no final. Eu colocava isso na minha cabeça e suportava todas as dificuldades.

Sei que me arrisquei ao viajar para Santiago sem planejamento, passei por diversos perrengues por causa disso, mas se tratava de um sonho de superação, e até mesmo de autoconhecimento. Eu pensava somente nisso, e conseguir cumpri-lo me fez repensar todas as minhas atitudes relacionadas aos meus sonhos, aos meus planos. Talvez eu tivesse de passar por essa experiência para entender que os sonhos devem ser planejados, mas não tão planejados a ponto de não ser realizados, como acontece com muitos que não vão a Santiago.

Eu não tinha muito tempo nem muitos recursos para realizar esse feito, então vi qual seria o menor caminho para que eu pudesse concluir aquela experiência. Tinha muita dificuldade nas subidas, lembro-me especialmente de uma região chamada Cebreiro, que foi extremamente desafiadora; mas quer saber qual foi meu maior descuido? Na descida, quando achei que estava fácil, quase rolei ribanceira abaixo. Isso vale para a nossa vida, quando as coisas estão mais fáceis muitas vezes nos descuidamos, e o que poderia ser simples acaba sendo o mais complicado.

Outra passagem que me trouxe um grande ensinamento foi quando quase caí num lago no meio do percurso. Tive de subir numa mureta para atravessar um trecho que estava intransitável e me esqueci do peso da minha mochila, que ba-

139

Se a vida não sai conforme o planejado, é nas ações e nas reavaliações que conseguimos encontrar o horizonte para seguir atuando e alcançando nossas metas.

teu nas minhas costas e quase me levou para baixo, na água, um lugar em que dificilmente alguém me encontraria tão depressa. Na vida também é assim, carregamos alguns pesos por tanto tempo que nos acostumamos a eles e, quando os ignoramos, corremos o risco de ser derrubados por eles.

Essa viagem me proporcionou o melhor encontro que poderia ter: o encontro comigo mesma. Recomendo!

Agora, pense em tudo o que viu até aqui e comece a se organizar para agir, calcule os seus atos e seja sincero consigo mesmo, para que seus princípios e seus limites sejam respeitados. Agir é importante, mas agir sem pensar pode ser um erro fatal.

Para que isso não aconteça, suas ações devem ser alinhadas ao seu planejamento e, sempre que possível, devem ser revistas, repensadas, recalculadas. Se a vida não sai conforme o planejado, é nas ações e nas reavaliações que conseguimos encontrar o horizonte para seguir atuando e alcançando nossas metas.

Tenha em mente a imagem dos maratonistas. Nenhum deles nasceu maratonista, mas todos se tornaram capazes de correr 42,195 quilômetros de uma só vez. O que os fez maratonistas foram as ações alinhadas ao planejamento e a determinação de chegar à linha de chegada.

Você também pode agir como um maratonista. Basta que realize todas as etapas anteriores e as ações certas para que seus sonhos sejam concretizados. Você pode, você consegue!

140
Aprendendo a dizer "não"

Uma das coisas mais importantes no caminho da realização é saber quando você pode ou não sair do planejado. O que acontece é que, ao definir um plano, é possível se deparar com uma série de imprevistos, de novas demandas que outras pessoas querem lhe trazer. Então, para ajudá-lo a tomar a melhor atitude, sempre que estiver diante de uma escolha, uma nova oportunidade ou qualquer coisa com potencial de mudar seus planos, faça-se algumas perguntas:

- Qual opção me aproxima de quem quero ser e o que quero alcançar, e qual opção me afasta?

Essa pergunta é ótima para ter clareza sobre o que deve ser a sua prioridade e o que pode ser deixado para trás. Sem peso na consciência ou culpa.

Às vezes temos uma total escassez de possibilidades e ficamos frustrados por não encontrar um caminho, mas é maravilhoso quando começamos a agir, porque a energia se movimenta e tudo começa a mudar. Em contrapartida, quero deixar um lembrete: talvez você já tenha visto uma locomotiva, nem que seja em desenho animado – ela começa lentamente e vai pegando força, então, quando engrena, a força é tão intensa que é preciso cuidado. Realizar é a mesma coisa, quando começa a engrenar, tantas oportunidades aparecem que, muitas vezes, pode ser uma grande armadilha. Por isso, eu o convido a pensar o seguinte:

- Eu realmente preciso tomar essa decisão agora?

Saber dizer "não" é uma arte; aliás, é um treino. Sempre que estiver diante de muitas possibilidades, pense nessa pergunta e se dê um tempo para responder, para analisar o quanto isso pode impactar sua vida e seus objetivos. Eu adoro a frase: "Nem tudo que reluz é ouro". Podemos ser mais eficazes analisando com carinho cada possibilidade e todas as conexões que podem ser feitas. Se não for para você, agradeça e siga em frente.

O mesmo ocorre com as pessoas; às vezes queremos que este ou aquele nos acompanhe ou faça parte dos nossos projetos, mas é preciso entender que nem sempre conseguimos visualizar o caráter das pessoas logo de cara, e o que muitas vezes pode parecer uma perda, na verdade, é um livramento.

- Sou a única pessoa que pode realizar essa tarefa ou posso pedir ajuda?

Como virginiana, sempre fui de querer carregar o mundo nas costas e achar bonito. Mas quem disse que precisamos carregar o mundo sozinhos? Seja em casa, seja no trabalho, você sempre pode compartilhar as responsabilidades. Desde as atividades mais rotineiras, como ir ao supermercado e fazer comida, até a lista de atividades do trabalho, você pode contar com seus parceiros e recursos para que a ação seja mais colaborativa; não fique pesada demais apenas para você, e, mais do que isso, para mostrar o valor do seu tempo.

Aprendi que os grandes líderes sabem valorizar seu tempo e otimizar suas tarefas. São mais objetivos, não perdem tempo com besteiras e, por isso, realizam muito mais. Com base nisso, faço outra pergunta para você, leitor:

- Caso eu não possa fugir dessa tarefa, quais negociações consigo fazer para que ela não impacte negativamente (ou, ao menos, diminua o impacto dela) nos meus planos?

Com quem posso contar? A quem posso delegar? Quanto vale o meu tempo em relação a essas tarefas menos importantes? Uma das características que me ajuda muito a resolver problemas ou a inovar é responder a perguntas como essas.

Pegue um papel ou um caderno e escreva pelos menos 20 perguntas para as quais você gostaria de ter a resposta. Leia cada uma delas, se possível em voz alta e acompanhando as perguntas com o dedo indicador para "senti-las", e, em seguida, feche seu caderno ou guarde sua folha dentro deste livro. Retome no dia seguinte e comece a responder a essas perguntas, sem questionar se suas respostas são possíveis ou não de ser executadas. Você se surpreenderá com a capacidade do seu inconsciente de se manifestar. Eu utilizo essa técnica para processos criativos, e o resultado é sensacional. Vamos falar mais sobre isso adiante.

Mas quem disse que precisamos carregar o mundo sozinhos?

CAPÍTULO
10

A VIDA É SEMPRE UM *TEST-DRIVE*

A vida é um eterno *test-drive*. Agora que você já se tornou um realizador de sonhos e já é capaz de seguir esse caminho sem medo de ser feliz, chegou a hora de aprender a rever os seus sonhos.

Para você entender melhor o que estou propondo, usarei a lógica do mundo dos negócios. Sempre que uma empresa se propõe a criar um novo projeto ou implantar uma modificação em sua área de atuação, dá-se início ao que se chama de gestão de projetos. Uma empresa, portanto, é composta de inúmeros processos; em uma loja, por exemplo, há os processos criativos para campanhas, processos de compra, vendas, atendimento ao cliente, contratação de funcionários etc.

Supondo que nossos sonhos sejam tantos projetos quanto imaginamos ser, nossa vida de realizadores de sonhos é, então, uma série de processos. Portanto, já realizamos as tarefas de traçar a ideia, planejar o cronograma de execução, compartilhamento com as pessoas que estão ao nosso redor, idealização dos projetos, ação e execução. Somos realizadores. Tarefa cumprida, certo?

Errado.

Todo realizador deve passar, ainda, por uma última tarefa, a de reavaliar seus projetos. É preciso sempre reavaliar os nossos sonhos para que passemos cada vez mais a nos tornar especialistas em realização de sonhos. Ainda bem que a vida nos permite – e até nos força a – viver assim, em constante *test-drive*.

REAVALIE

Esse é momento da realização de um projeto em que tudo deve ser revisto. Desde o seu início, quando ainda estava em fase de ser pensado, até a sua conclusão.

Trate de ser sincero consigo mesmo e coloque tudo na ponta do lápis.

Dedique um tempo do seu dia para fazer isso, antes de dar início a um novo planejamento. Anote os pontos positivos e os negativos. Mais uma vez, infelizmente, não há uma receita para seguir essa última análise de seus sonhos, mas, se puder ajudar, costumo me concentrar em responder a algumas perguntas:

1. Consegui realizar 100% do meu sonho?
2. Tive de mudar muito meu planejamento para chegar aonde planejei? Ou consegui seguir exatamente o que planejei?
3. Foi muito desgastante cumprir tudo o que me propus?
4. Tive de abrir mão de muita coisa em minha rotina?
5. O que mudou?
6. As pessoas que amo estão felizes com o que realizei?
7. Valeu a pena tudo o que fiz?
8. Estou verdadeiramente feliz?
9. Onde errei?
10. Onde acertei?
11. Conseguirei aproveitar tudo o que fiz para realizar outro sonho?

Decida o que pretende fazer no seu momento de reavaliação, procure seguir um *script* que se encaixe em suas crenças e em suas opiniões ou, simplesmente, siga o meu modelo até se sentir confiante e forte para criar o seu. O mais importante de tudo é que seja sincero e verdadeiro consigo mesmo. Essa é uma oportunidade única para que você se mantenha no caminho do realizador, conseguindo sempre tirar o máximo proveito dele, além de se manter em constante evolução.

Quando ingressei nessa jornada de realização de sonhos, nunca havia passado pela minha cabeça que um dia me tornaria uma verdadeira especialista em realizá-los. E pude aprender na prática o quanto essa fase de reavaliação é importante. E em dois momentos da minha vida essa sensação ficou bastante evidente.

Em primeiro lugar, logo após o fim da Corrida Internacional de São Silvestre. Eu comecei a me preparar para correr os 15 quilômetros porque precisava cuidar da minha saúde. Os treinos de caminhada me levaram a conseguir correr os 15 quilômetros; porém, não foi nada fácil, apesar do condicionamento, mas a decisão de correr a São Silvestre veio de um sonho de ter uma saúde melhor. Esse era o meu objetivo. No fim da prova, ao receber a medalha, eu estava realizada, sabia que era capaz de fazer qualquer coisa para me sentir bem comigo mesma, conseguia correr os 15 quilômetros e, mais do que isso, conseguia ter disciplina para treinar para uma prova como essa.

Quando recebi a medalha, logo após terminar a dolorosa subida da avenida Brigadeiro Luís Antônio, em São Paulo – que, confesso, subi me arrastando, numa alternância entre caminhada e corrida – eu não me continha de emoção. A São Silvestre era uma realidade na minha vida, um sonho realizado na minha lista de planejamento. Eu tinha conseguido correr.

E daí?

Passada a emoção, era hora de reavaliar os meus passos até ali. Quem eu era antes de tudo isso começar e como estava naquele 31 dezembro de 2015? Como estava me sentindo naquele momento e como seria dali em diante?

Aquele momento de reavaliação foi maravilhoso. Eu pude perceber o quão forte eu era e quanto a disciplina era importante na minha vida, na manutenção da minha saúde. Tendo a disciplina como aliada, agora eu sabia, ninguém seria capaz de me impedir de realizar um sonho ou de cuidar da minha saúde.

Contudo, eu sabia que não queria correr para sempre – o que eu amo fazer é caminhar, caminhar me faz viajar no pensamento, ajuda a oxigenar meu

148

Repense os seus sonhos. Reavalie suas ações. Relembre seus desejos.

cérebro e é a melhor opção para meus joelhos. Recebi inúmeros convites para seguir em grupos de corrida, mas aquilo não faria mais parte da minha vida. Eu precisava ser sincera comigo, e fui.

Se não tivesse parado para pensar por que eu havia realizado aquilo, em tudo o que tinha vivido para chegar até ali, talvez continuasse me achando incrível por ter cumprido a São Silvestre e me sentindo na obrigação de fazer algo para manter o *status* de corredora, mas meu coração não estaria feliz. E, então, nada do que fiz teria valido a pena.

O meu objetivo com a corrida era ter um propósito para cuidar da minha saúde, foi um excelente estímulo. Repense os seus sonhos. Reavalie suas ações. Relembre seus desejos. Pese o que é bom e o que é ruim, pois, somente assim, sua vida continuará tendo sentido, e você evoluindo na sua caminhada como realizador de sonhos.

SUPERAÇÃO × AÇÃO

Para uma última reflexão neste capítulo, quero reforçar para você o que significam os conceitos superação e ação, que foram chaves valiosas no meu aprendizado.

1. Superação: aprendemos a ser fortes e a enfrentar tudo quando mantemos o foco e sabemos o que queremos. As dificuldades realmente nos fortalecem e nos fazem pessoas melhores e mais determinadas.

2. Ação: é tão importante quanto a idealização – ousaria dizer que a ação chega a ser até mais importante.

Tudo o que aconteceu em minha vida se deu porque eu me coloquei à disposição para me superar constantemente, porque a cada novo desafio completado,

A reavaliação ajuda você a se blindar de si mesmo, dos vícios, do piloto automático, das desculpas para a não realização.

eu me reenergizava para agir e realizar cada vez mais. E o mais importante: depois de cada realização, respeitei o momento de reavaliar e analisar tudo o que aconteceu em cada percurso e processo.

Não importa o que decida fazer, imprima sempre o seu padrão de qualidade, faça bem-feito. Em todos os grupos dos quais participei até hoje, eu me envolvi verdadeiramente e dei o meu melhor. Nos momentos de reavaliação eu decidia se deveria me manter ali ou seguir para outros grupos. Certa vez vi uma frase na internet que dizia: "Se você é uma das pessoas mais importantes da mesa, está na hora de mudar de mesa.". De forma consciente ou não, sempre busco grupos de pessoas que desafiem o que eu sei, pessoas por quem eu tenha admiração, quem eu gostaria de ser; isso me motiva a sempre melhorar, aprender mais. Conviver com pessoas que nos estimulam faz tão bem, porque, como mostrou o cientista Moran Cerf após anos de pesquisa, existe um alinhamento cerebral entre nós e as pessoas com quem compartilhamos experiências[4]. Eu acredito nisso.

Aprender a fazer a reavaliação da vida, dos sonhos e dos projetos, e até das nossas companhias, é manter-se sonhando, manter-se vivo. Essa é uma parte fundamental do percurso do realizador, e, na prática, pude perceber quanto isso é importante. Hoje, meus planejamentos de sonhos são sempre reavaliados.

A reavaliação ajuda você a se blindar de si mesmo, dos vícios, do piloto automático, das desculpas para a não realização.

A reavaliação é a oportunidade de verificar se estamos procrastinando, de perceber o que deve ser feito, mas é chato ou cansativo se comparado ao que nos empolga mais, porém não é tão importante ou urgente quanto. Esse é o momento de verificar se a sua turma do momento o ajuda ou o enfraquece nos seus propósitos.

Essa regrinha mágica serve para tudo, até mesmo para organizar sua agenda.

Você já adota essa prática? Analisa o planejado *versus* o executado?

---

4 Cecília Barría. Esta é a melhor decisão que você pode tomar na vida, segundo neurocientista que estuda felicidade. *BBC Mundo*, 10 fev. 2018. Disponível em: <http://www.bbc.com/portuguese/geral-43016385>. Acesso em: 13 fev. 2018.

CAPÍTULO 11

O SONHO NUNCA TEM FIM

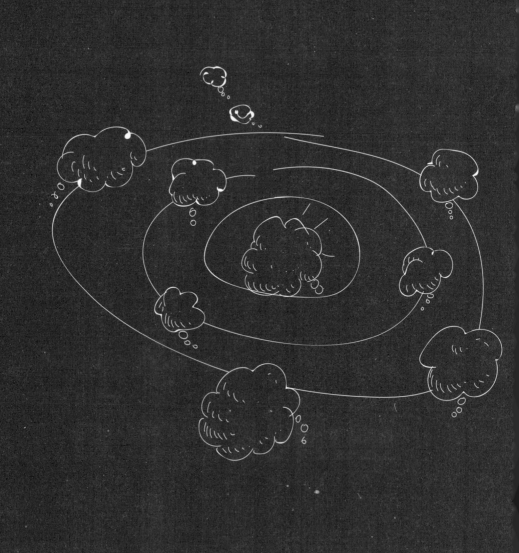

153

Muito mais do que ser um eterno *test-drive*, a vida é um eterno convite a realizações, a mudanças de página, a novas histórias e a reviravoltas. Você já se deu conta de quanto a vida se mostra justa para aqueles que estão abertos a encontrar novas oportunidades em grandes dificuldades?

Felizes aqueles que sabem fazer limonadas quando a vida oferece apenas limões, mas felizes também aqueles que experimentam o azedume do limão sem açúcar. Ambos acabam saboreando a vida de um jeito ou de outro; o que quero propor a você é que saiba encontrar o modo que o faz mais feliz para encarar a vida: preparando uma limonada ou curtindo o azedume do limão?

Não importa a sua resposta nem seu perfil. O que quero é convidá-lo a ser um realizador de sonhos, a entender que, independentemente de quem você seja, de como viva e do seu sonho, sempre será possível realizá-lo, basta que você acredite em si mesmo e não se deixe abater por tudo aquilo que tente tirar o seu foco da realização.

A vida pode ser um mar de realizações ou um mar de estagnação e reclamação. É você quem decide em qual mar quer nadar. Em qual ambiente quer circular.

Apenas uma decisão o tornará diferente daqueles que o rodeiam: ser ou não um realizador de sonhos. E você já sabe que isso é possível. Vamos tentar?

Capítulo 11: O sonho nunca tem fim

TORNE-SE UM
REALIZADOR DE SONHOS

Mantenha o ritmo de definir os seus sonhos. Dê asas à sua imaginação e nunca, nunca, deixe de sonhar. Trabalhe com o seu planejamento como quem trabalha em uma empresa, pois só o planejamento será capaz de mantê-lo em constante realização de sonhos. Cuide dos pilares que sustentam a sua vida – eles são a base para que tudo dê certo.

Reavalie.

Veja em quais pontos da sua vida você precisa mudar de atitude ou a quais setores dela deve dar um pouco mais de atenção. Os pilares devem sempre estar em equilíbrio para que tudo flua e ocorra como deve ser.

Agora que você já tem o método do realizador de sonhos, basta aceitar meu convite, aplicá-lo e sair por aí realizando tudo. Eu garanto, a sensação é maravilhosa, e a energia é contagiante. Perca o medo e deixe que todos ao seu redor se contagiem pela sua energia de realizador, e, assim, será cercado por pessoas realizadoras que constroem aquilo que sonham e, portanto, são felizes. Sua vida será transformada.

ADAPTE-SE E
TENHA CRIATIVIDADE

É óbvio, como já vimos antes aqui neste livro, que para que tudo isso dê certo e você consiga se tornar a sua melhor versão, sua criatividade deve estar sempre alinhada e adaptada à sua realidade. Não adianta querermos visitar Marte se ainda não foi comprovado que é possível respirar nesse planeta, não é mesmo?

Então, adapte seus sonhos, planejando-os conforme a sua situação atual. Isso, no entanto, não quer dizer que você não pode sonhar alto, mas que deve combinar a sua realidade com a realização de cada sonho. É para isso que deve servir o seu planejamento, no qual você calculará um prazo para a realização de cada um de seus sonhos.

Há sonhos que exigem economia de dinheiro e outros que exigem mudança nos nossos hábitos alimentares, e outros, ainda, que exigem disciplina. E é o tempo, a sua disposição e a sua realidade que definirão quando cada um deles se realizará.

FAÇA O QUE TEM
DE FAZER COM
OS SEUS RECURSOS

Quando voltei à minha loja, depois de passar por aquele período me dedicando ao estudo para prestar o concurso ao cargo de juíza, encontrei um ambiente completamente transformado. Além disso, eu já não era a mesma. Eu precisava voltar a me encaixar naquele lugar que sempre foi meu. E, mais do que isso, eu precisava inovar... Mas como?

Quando decidi colocar presentes e acessórios na loja para ampliar meu portfólio, lembro-me de visitar algumas grandes importadoras em São Paulo, com algumas fotos da minha empresa nas mãos, e poucos me levavam a sério. No entanto, meu caminho também me levou a pessoas que abriram suas portas para sonhar comigo, e, hoje, duas delas são minhas fortes parceiras de negócio e apoiadoras da concretização deste livro.

Adapte seus sonhos, planejando-os conforme a sua situação atual.

Pode parecer fácil, mas tive de provar, mês após mês, duplicata após duplicata, que eu era uma pessoa confiável, e me orgulho de ter passado por esses desafios.

Fazer as coisas com dinheiro é fácil, ter portas abertas quando já está estabilizado é mais fácil ainda – elas se transformam em portas mágicas, abrem sem que você peça. O difícil é o começo, quando você precisa conquistar seus possíveis parceiros e convencê-los de que, caso deixem você entrar, dará o seu melhor e trará resultados positivos para ambos.

Por isso, eu sempre digo aos meus amigos: não espere a situação mais favorável para realizar – crie a situação, planeje, persiga seu sonho até conseguir, pois a melhor de todas as ferramentas para a realização é a persistência.

Muitas vezes, passamos a acreditar que os recursos vêm apenas por meio do dinheiro, mas o maior de todos os recursos é o tempo que você utiliza para fazer o dinheiro chegar até você. Sempre fiz esse mecanismo acontecer. Lembro-me de, aos 9 anos de idade, datilografar – agora sei que me entreguei, e talvez você nem saiba o que é uma máquina de datilografia, mas eu garanto, ela existiu um dia... Bem, nessa época eu datilografava receitas e vendia as cópias por centavos para minhas tias, eram pelo menos cinco as que compravam, porque achavam bonitinha a minha atitude. Com o tempo descobri o papel carbono que meu pai utilizava, e com um único trabalho eu tinha várias cópias; aprendi desde cedo a técnica da "escalagem", ou seja, utilizar o mesmo tempo para multiplicar seus resultados. É incrível o que as crianças são capazes de nos ensinar, por isso, não podemos deixar essas crianças morrerem dentro de nós.

NÃO HÁ IDADE
PARA OS SONHOS

Aos 50 anos, eu descobri que não há limite para os sonhos. Pude perceber o quanto eu fiz na última década e, acredite, nem chega aos pés de tudo o que realizei antes disso. Refiro-me aos sonhos, ao sentir-me realizada com algo que sonhei, planejei, fui lá e fiz.

Nesse período, em que comecei a acreditar que era capaz e podia ser mais do que aquilo que a vida – maravilhosa – que eu tinha já me oferecia, encontrei uma Lilian que é capaz de se reinventar e de se descobrir em vários aspectos.

Entre as inúmeras coisas que fiz, vou listar algumas:

- Voltei a estudar.
- Concluí a faculdade de Direito, um sonho antigo.
- Estudei para me tornar juíza e descobri que não era bem isso o que eu queria.
- Corri a São Silvestre.
- Percorri o Caminho de Santiago de Compostela.
- Reestruturei a minha loja.
- Tornei-me palestrante e apresentei palestras incríveis para diversos públicos.
- Desfilei no carnaval de São Paulo na minha escola do coração.
- Fui ao Japão como palestrante.
- Fui aos Estados Unidos para um intercâmbio aos 50 anos.
- Fiz um bar de cordas maravilhoso em minha loja.
- Viajei para lugares incríveis.
- Comecei a estudar marketing digital.
- Criei um projeto digital e atraí muitos negócios para a empresa.
- Escrevi este livro e...

> **A busca pela felicidade é algo pessoal e intransferível – ou seja, não se pode responsabilizar quem quer que seja pela capacidade de construir uma vida feliz para você.**

E continua. Não há mais limites para a realização dos meus sonhos. Quero seguir realizando, seguir aprimorando a realizadora extraordinária em que me transformei.

A busca pela felicidade é algo pessoal e intransferível – ou seja, não se pode responsabilizar quem quer que seja pela capacidade de construir uma vida feliz para você. Isso inclui seu parceiro, sua família, seu terapeuta.

Quebre seus medos, jogue fora o que não lhe serve mais, saia do lugar-comum e encare o desafio!

Use as ferramentas do meu método a seu favor. Crie as próprias ferramentas e idealize o seu jeito de viver, realizando sonhos, planejando a vida com sonhos. Arquitete a sua vida para que tudo funcione bem e alinhado aos seus pilares, encontre o seu equilíbrio e permaneça sempre na rota do realizador.

A vida é muito mais colorida e mais cheia de felicidade quando você consegue se definir como um realizador de sonhos. É mais forte do que você pode imaginar.

Eu sei que, se você chegou até aqui, certamente, boa parte do meu método – quer você queira, quer não – já entrou na sua cabeça. E, se ainda não entrou, a seguir, com o "Manifesto do realizador extraordinário", acabará entrando. Portanto, meu último e mais sincero pedido a você neste livro: liberte-se dos seus medos e ponha em prática o que lerá a seguir e, de uma vez por todas, torne-se o realizador de sonhos que você tanto quis ser e conseguiu ver em mim.

A vida é muito mais colorida e mais cheia de felicidade quando você consegue se definir como um realizador de sonhos.

160

Manifesto do realizador extraordinário

Eu quero que você pense em pelo menos três coisas que quer realizar num curto espaço de tempo. Em seguida, comece a escrever como se você tivesse ido para o futuro e já se encontrasse daqui a 30 dias. Comece a escrever como se fosse hoje.

Por exemplo: "Hoje já se passaram quatro semanas desde que idealizei esse sonho; mentalizei cada detalhe que estou vivendo agora, esse cheiro, esse sentimento de poder e realização. Meu planejamento foi bem-feito, o que me propiciou agir rapidamente, e semana a semana tenho realizado [*escreva aqui todas as suas conquistas*], por isso estou me sentindo tão bem, energizado, fortalecido por ter seguido o plano, e, nesse momento de *reavaliação*, posso me considerar um *realizador extraordinário*.".

Escreva tudo como quer que aconteça; quanto mais detalhes, melhor, mais real seu sonho parecerá, mais vida ele ganhará. Se for muito difícil para você entender como isso funciona, imagine-se dentro de um livro – o seu preferido –, e ali, naquelas páginas, você ganha o poder de contar a história, a sua história, do seu jeito, como gostaria que fosse. Permita-se sonhar e passar para as páginas desse seu livro tudo o que quiser, tudo o que o torna feliz. Ficou melhor?

161

A seguir, faça assim também com o seu sonho. É o mesmo processo, mas o sonho é seu: você é o personagem principal, o roteirista e o diretor. Divirta-se, atue no melhor papel da sua vida; no seu sonho, você pode ser o que você quiser! Mas, lembre-se, escolha algo possível de realizar.

Escreva nas linhas a seguir o seu manifesto de realizador extraordinário.

Agora que você já se permitiu documentar o seu sonho, prepare-se para começar a realizá-lo!

MEU PRIMEIRO SONHO EM 30 DIAS:

UM PLANO DE AÇÃO

Percorremos

um longo caminho. Agora é a hora de materializar o seu sonho em até 30 dias. E por que eu escolhi esse prazo?

Percebi que tudo o que concretizei com base no meu método, as grandes decisões que tomei e os passos que defini para realizar meus objetivos, aconteceu em no máximo 30 dias. A idealização e o SIM para o meu bar de cordas, o planejamento e o início da minha jornada por Santiago, escolher voltar aos estudos...

É claro, alguns projetos levam mais do que um mês para ser finalizados, mas nesses 30 dias é possível fazer todo o planejamento e dar o primeiro passo para deixar a procrastinação e os ladrões do sonho para trás.

Com o objetivo de ajudá-lo nessa missão, desenhei este plano para que você possa aplicar tudo o que discutimos de maneira objetiva e focada usando o poder da hora extraordinária para a realização.

Bora lá!

FASE 1:
PREPARAÇÃO

DIA 1: TRABALHE A AUTOCONFIANÇA

No capítulo 1, falamos sobre definir o lema que você quer adotar para sua vida. Então hoje seu compromisso é registrar as mudanças no seu comportamento e na dinâmica do seu dia depois de adotar o lema que mais inspira você:

VAMOS RECORDAR?

Meu lema é:

Como é acordar e se conectar com essa energia?

Em quais momentos do seu dia você percebe essa energia cair? E quando você a sente mais forte?

Defina a sua hora extraordinária: qual momento do seu dia, pelos próximos 30 dias, será reservado para o seu sonho?

A hora extraordinária deve ser uma prioridade para que o plano funcione. Então, tome essa decisão e torne-a um compromisso inegociável.

DIA 2:
CRIE ESPAÇO NA SUA VIDA PARA A REALIZAÇÃO: DETOX MENTAL

Nos próximos três dias, quero que você faça uma verdadeira limpeza na sua vida. Hoje, vamos focar o detox mental.

- Quais pensamentos e crenças ficam martelando na sua mente, dizendo que tipo de pessoa você deve ser? (As expectativas alheias, como ser uma pessoa de negócios, mais caseira etc.)

- Em que você quer realmente acreditar?

- Qual é sua verdadeira prioridade? Ouvir as expectativas alheias ou ouvir seu coração e sua verdade?

- Descreva seu maior desejo para si mesmo e para quem está ao seu redor e, se possível, compartilhe com as pessoas mais importantes para você.

Mapeie as situações que fazem você cair na armadilha dos pensamentos pessimistas, duvidando de si mesmo e, em seguida, escreva o pensamento antídoto, que vai combater as crenças que querem limitá-lo.

Pensamento negativo	Pensamento antídoto

Carregue a atitude mental positiva sempre com você. Se possível, transcreva os pensamentos positivos para uma nota em seu celular, sua agenda, ou em qualquer suporte que faça parte da sua rotina e facilite a visualização dessas novas crenças sempre que a negatividade quiser invadi-lo.

DIA 3:
CRIE ESPAÇO NA SUA VIDA PARA A REALIZAÇÃO: DETOX NOS RELACIONAMENTOS

Agora é a vez de refletir sobre os relacionamentos que têm minado sua energia.

- Quais relacionamentos estão na sua vida sem agregar nada?

  ....
  ....
  ....
  ....

- Quais relacionamentos realmente são importantes?

  ....
  ....
  ....
  ....

- Que tipo de relacionamento você gostaria de viver e não está vivendo?

  ....
  ....
  ....
  ....

- Qual é sua verdadeira prioridade? Continuar dividindo seu tempo em relações tóxicas ou abrir espaço para curtir com aqueles que ama e deixar que novos relacionamentos, mais valorosos, entrem para sua vida?

  ....
  ....
  ....
  ....

- Então, que mudanças precisam ser feitas? Começar a dizer mais "não"? Organizar melhor a agenda e o tempo que se dedicará aos relacionamentos importantes? Escreva os compromissos que assumirá a partir de hoje para que seus relacionamentos sejam mais felizes e harmoniosos.

DIA 4:
CRIE ESPAÇO NA SUA VIDA PARA A REALIZAÇÃO: DETOX NA AGENDA

A agenda parece uma das grandes vilãs da nossa rotina, não é mesmo? Sempre temos mais tarefas e compromissos do que é, de fato, possível um ser humano realizar. No entanto, será que tudo precisa obrigatoriamente estar na nossa agenda? Vamos refletir sobre isso hoje.

- Quais atividades na sua agenda você vê como obrigação ou que são aquelas que caem como se fossem bombas, sem que você possa negociá-las?

- Como sua rotina poderia ser mais leve?

171

• Qual é sua verdadeira prioridade? Cumprir a agenda dos outros ou a sua?

• Crie um plano de ação para as tarefas que você quer tirar da sua agenda.

Atividade	Nível de prioridade	Sou a única pessoa que pode realizar esta tarefa? A quem posso delegá-la?

DIA 5: QUAL É SEU SONHO HOJE?

Retome o quadro dos sonhos que trabalhamos no capítulo 8 e escolha um projeto para ser sua prioridade pelas próximas semanas.

Sonho	Pilar da minha vida	Prazo para realização	Investimentos necessários	Primeiro passo para tirá-lo do papel	Compromissos para a realização

Nota: Mantenha este quadro com você para que possa reiniciar o processo da realização assim que concluir o primeiro sonho.

Definir o que você quer realizar primeiro.
....

Por que vale a pena assumir este compromisso?
....

Dê às suas decisões a importância real delas: o que você perde em realizar esse sonho? O que você ganha?
....

DIA 6:
ESTABELEÇA A SUA HORA EXTRAORDINÁRIA

Você já estabeleceu o momento ideal para a sua hora extraordinária e espero que, a esta altura, já esteja sentindo a diferença que faz tê-la como prioridade. No entanto, para que sua hora extraordinária seja realmente bem aproveitada, é importante planejá-la.

1. **Estabeleça o seu ritual criativo:** a maneira como começamos uma atividade determina qual será seu andamento. Então, não defina simplesmente sua hora extraordinária, mas planeje-se para estar preparado para ela:

   - Tenha um lugar especial para realizar suas atividades durante a hora extraordinária.

   - Avise as pessoas que convivem com você sobre a importância de não interrompê-lo durante esse período.

   - Pense em como fazer esse momento mais propício à criatividade: você gosta de trabalhar com música? Ou gosta de ter post-its disponíveis? Cuide de tudo isso para que a sua hora extraordinária seja produtiva.

2. **Defina uma estratégia de acompanhamento e parâmetros para a realização:** não deixe para pensar no que precisa ser feito no momento que determinou a sua hora extraordinária. É importante já adiantar suas demandas. Para isso, aqui vão algumas dicas:

   - Escolha uma ferramenta para ajudá-lo a se organizar: pode ser uma agenda, uma planilha, algum aplicativo de tarefas... O importante é que você tenha um local no qual programe e confira o que foi programado *versus* o que realmente conseguiu realizar.

   - Determine as atividades da sua hora extraordinária a partir de prioridades. Não defina simplesmente o que precisa fazer, coloque a sequência. Isso vai ajudá-lo a manter o foco.

   - Tenha tudo de maneira visual e com fácil acesso. A tecnologia é uma grande aliada quando o assunto é organização, mas você pode definir qualquer sistema, desde que funcione para você e seja prático.

3. **Tarefa do dia:** definir o sistema de planejamento e acompanhamento de tarefas! Existem inúmeros recursos disponíveis na internet, eu utilizo o

Trello, mas também existem outros aplicativos bastante populares como o Todoist e o Evernote. Analise as opções e escolha a que mais lhe agradar. Faça isso hoje, pois será muito importante para a missão que você tem no próximo dia.

DIA 7: PLANO MACRO DO SONHO

Agora você vai dividir o seu sonho em objetivos semanais, depois chegaremos ao planejamento diário. Para comprimir nosso plano de realização em 30 dias, neste estágio você tem três semanas pela frente. Como vai usá-las?

Quando	O quê	Investimentos necessários (tempo, financeiro, ajuda de outras pessoas)
Semana 1		
Semana 2		
Semana 3		

Barra do sonho: conforme você for realizando suas metas, marque quão perto do seu sonho você está, dia após dia.

0%   100%

FASE 2: REALIZAÇÃO

DIA 8: ORGANIZE AS METAS DA SEMANA 1

Grande objetivo da semana:

....
....
....
....

Tarefas para alcançá-lo:

- Hoje

....
....
....
....

- Segundo dia

....
....
....
....

- Terceiro dia

....
....
....
....

- Quarto dia

....
....
....
....

- Quinto dia

....
....
....
....

- Sexto dia

....
....
....
....

- Sétimo dia

....
....
....
....

Barra do sonho: A meta para esta semana é chegar aos 35% do seu sonho!

0%   100%

DIA 9: REALIZAÇÃO

Checklist do dia: ações programadas para hoje

☐ ....
☐ ....
☐ ....
☐ ....
☐ ....
☐ ....
☐ ....
☐ ....
☐ ....
☐ ....

DIA 10: REALIZAÇÃO

Checklist do dia: ações programadas para hoje

☐ ....
☐ ....
☐ ....
☐ ....
☐ ....
☐ ....
☐ ....
☐ ....
☐ ....
☐ ....

Meu primeiro sonho em até 30 dias: um plano de ação

178

DIA 11: REALIZAÇÃO

Checklist do dia: ações programadas para hoje

☐ ....

☐ ....

☐ ....

☐ ....

☐ ....

☐ ....

☐ ....

☐ ....

☐ ....

☐ ....

DIA 12: REALIZAÇÃO

Checklist do dia: ações programadas para hoje

☐ ....

☐ ....

☐ ....

☐ ....

☐ ....

☐ ....

☐ ....

☐ ....

☐ ....

☐ ....

DIA 13: REALIZAÇÃO

Checklist do dia: ações programadas para hoje

☐ ....
☐ ....
☐ ....
☐ ....
☐ ....
☐ ....
☐ ....
☐ ....
☐ ....

DIA 14: REALIZAÇÃO

Checklist do dia: ações programadas para hoje

☐ ....
☐ ....
☐ ....
☐ ....
☐ ....
☐ ....
☐ ....
☐ ....
☐ ....

Minha barra do sonho ao final desta semana

0%   100%

DIA 15:
ORGANIZE AS METAS DA SEMANA 2

Grande objetivo da semana:

Tarefas para alcançá-lo:

• Hoje

• Segundo dia

• Terceiro dia

- Quarto dia

- Quinto dia

- Sexto dia

- Sétimo dia

Barra do sonho: A meta para esta semana é chegar aos 70% do seu sonho!

0%   100%

Meu primeiro sonho em até 30 dias: um plano de ação

DIA 16:
REALIZAÇÃO

Checklist do dia: ações programadas para hoje

- [ ] ....
- [ ] ....
- [ ] ....
- [ ] ....
- [ ] ....
- [ ] ....
- [ ] ....
- [ ] ....
- [ ] ....
- [ ] ....

DIA 17:
REALIZAÇÃO

Checklist do dia: ações programadas para hoje

- [ ] ....
- [ ] ....
- [ ] ....
- [ ] ....
- [ ] ....
- [ ] ....
- [ ] ....
- [ ] ....
- [ ] ....
- [ ] ....

DIA 18: REALIZAÇÃO

Checklist do dia: ações programadas para hoje

- [ ]
- [ ]
- [ ]
- [ ]
- [ ]
- [ ]
- [ ]
- [ ]
- [ ]
- [ ]

DIA 19: REALIZAÇÃO

Checklist do dia: ações programadas para hoje

- [ ]
- [ ]
- [ ]
- [ ]
- [ ]
- [ ]
- [ ]
- [ ]
- [ ]
- [ ]

DIA 20: REALIZAÇÃO

Checklist do dia: ações programadas para hoje

- [ ]
- [ ]
- [ ]
- [ ]
- [ ]
- [ ]
- [ ]
- [ ]
- [ ]

DIA 21: REALIZAÇÃO

Checklist do dia: ações programadas para hoje

- [ ]
- [ ]
- [ ]
- [ ]
- [ ]
- [ ]
- [ ]
- [ ]
- [ ]

Minha barra do sonho ao final desta semana

0%   100%

DIA 22:
ORGANIZE AS METAS DA SEMANA 3

Grande objetivo da semana:

Tarefas para alcançá-lo:

- Hoje

- Segundo dia

- Terceiro dia

- Quarto dia

Meu primeiro sonho em até 30 dias: um plano de ação

- Quinto dia

- Sexto dia

- Sétimo dia

Barra do sonho: A meta para esta semana é chegar aos 100% do seu sonho!

0% ——————————————————————————— 100%

DIA 23: REALIZAÇÃO

Checklist do dia: ações programadas para hoje

- [ ]
- [ ]
- [ ]
- [ ]
- [ ]
- [ ]
- [ ]
- [ ]
- [ ]
- [ ]

DIA 24: REALIZAÇÃO

Checklist do dia: ações programadas para hoje

- [ ]
- [ ]
- [ ]
- [ ]
- [ ]
- [ ]
- [ ]
- [ ]
- [ ]
- [ ]

*Meu primeiro sonho em até 30 dias: **um plano de ação***

**DIA 25:
REALIZAÇÃO**

Checklist do dia: ações programadas para hoje

- [ ]
- [ ]
- [ ]
- [ ]
- [ ]
- [ ]
- [ ]
- [ ]
- [ ]
- [ ]

**DIA 26:
REALIZAÇÃO**

Checklist do dia: ações programadas para hoje

- [ ]
- [ ]
- [ ]
- [ ]
- [ ]
- [ ]
- [ ]
- [ ]
- [ ]
- [ ]

DIA 27: REALIZAÇÃO

Checklist do dia: ações programadas para hoje

- [ ]
- [ ]
- [ ]
- [ ]
- [ ]
- [ ]
- [ ]
- [ ]
- [ ]

DIA 28: REALIZAÇÃO

Checklist do dia: ações programadas para hoje

- [ ]
- [ ]
- [ ]
- [ ]
- [ ]
- [ ]
- [ ]
- [ ]
- [ ]

Minha barra do sonho ao final desta semana

0%   100%

DIA 29:
MOMENTO DE REAVALIAR

Ufa! Quantas coisas aconteceram entre o dia 1 e hoje, não é mesmo? Quantos objetivos concluídos?

Está na hora de respirar, tomar fôlego e fazer a reavaliação. Quero que pense em como você estava antes de tudo começar, seus sentimentos, sua visão sobre si mesmo e como isso se transformou ao longo deste mês. Para deixar este momento ainda mais profundo, escreva uma carta para si mesmo, compartilhando como foi esse processo, seus aprendizados, o que poderia fazer diferente e tudo mais que estiver em seu coração. Lembre-se de ser gentil com você mesmo, afinal, estamos constantemente em fase beta e podemos melhorar nossa programação sempre que for necessário.

DIA 30
RECONHEÇA SUAS
REALIZAÇÕES EXTRAORDINÁRIAS

Chegamos ao final do nosso plano extraordinário! Tenho certeza de que você batalhou muito, aprendeu, descobriu novas possibilidades e, acima de tudo, percebeu que *tudo é possível para o realizador!*

Hoje, então, sua hora extraordinária deverá ser utilizada de um jeito leve e de puro alto astral: celebrando as suas realizações! Celebrar todo o seu percurso, os erros e os acertos. Sentir a gratidão pelo apoio que obteve e tudo o que conquistou neste processo.

Ah, e lembra daquele manifesto que você fez a si mesmo? Que tal relembrá-lo e sentir-se novamente o dono dos seus sonhos?

Parabéns pela sua determinação! E, não se preocupe caso ainda faltem algumas etapas para chegar aos 100% do seu sonho. Sempre é tempo de realizar. Basta fazer deste desafio dos 30 dias uma prática para a sua vida, torne a realização um hábito e você verá que não existem limites para o que pode construir!

Se você chegou até aqui, já está no caminho da realização, pois poucas pessoas terminam o que começam. Meu desejo é que você esteja sempre no comando da sua vida, realize muitos sonhos e sempre tenha motivos para brindar seu sucesso. Sempre considerei a vida um filme, mas lembre-se que não há replay, então saboreie cada dia e cada oportunidade como únicos. Estarei sempre torcendo pelo seu sucesso.

Antes de nos despedir, gostaria de fazer um último pedido: compartilhe comigo como foi sua experiência de realizador. Você pode entrar em contato comigo através do e-mail: sourealizador@ahoraextraordinaria.com.br.

Com todo carinho,

Lilian Bertin

Este livro foi impresso pelas Edições Loyola
em papel luxcream 70 g.